L'ART DE SE RÉINVENTER

Édition : Pascale Mongeon
Design graphique : Christine Hébert
Révision : Sylvain Trudel
Correction : Sylvie Massariol

Données de catalogage disponibles auprès de
Bibliothèque et Archives nationales du Québec

DISTRIBUTEURS EXCLUSIFS :

Pour le Canada et les États-Unis :
MESSAGERIES ADP inc.*
2315, rue de la Province
Longueuil, Québec J4G 1G4
Téléphone : 450-640-1237
Télécopieur : 450-674-6237
Internet : www.messageries-adp.com
* filiale du Groupe Sogides inc.,
   filiale de Québecor Média inc.

Pour la France et les autres pays :
INTERFORUM editis
Immeuble Paryseine, 3, allée de la Seine
94854 Ivry CEDEX
Téléphone : 33 (0) 1 49 59 11 56/91
Télécopieur : 33 (0) 1 49 59 11 33
Service commandes France Métropolitaine
Téléphone : 33 (0) 2 38 32 71 00
Télécopieur : 33 (0) 2 38 32 71 28
Internet : www.interforum.fr
Service commandes Export – DOM-TOM
Télécopieur : 33 (0) 2 38 32 78 86
Internet : www.interforum.fr
Courriel : cdes-export@interforum.fr

Pour la Suisse :
INTERFORUM editis SUISSE
Route André Piller 33A, 1762 Givisiez – Suisse
Téléphone : 41 (0) 26 460 80 60
Télécopieur : 41 (0) 26 460 80 68
Internet : www.interforumsuisse.ch
Courriel : office@interforumsuisse.ch
Distributeur : OLF S.A.
ZI. 3, Corminboeuf
Route André Piller 33A, 1762 Givisiez – Suisse
Commandes :
Téléphone : 41 (0) 26 467 53 33
Télécopieur : 41 (0) 26 467 54 66
Internet : www.olf.ch
Courriel : information@olf.ch

Pour la Belgique et le Luxembourg :
INTERFORUM BENELUX S.A.
Fond Jean-Pâques, 6
B-1348 Louvain-La-Neuve
Téléphone : 32 (0) 10 42 03 20
Télécopieur : 32 (0) 10 41 20 24
Internet : www.interforum.be
Courriel : info@interforum.be

12-15

Imprimé au Canada

Dépôt légal : 20015
Bibliothèque et Archives nationales du Québec

ISBN 978-2-7619-4268-3

Gouvernement du Québec – Programme de crédit d'impôt pour
l'édition de livres – Gestion SODEC – www.sodec.gouv.qc.ca

L'Éditeur bénéficie du soutien de la Société de développement
des entreprises culturelles du Québec pour son programme
d'édition.

Conseil des Arts   Canada Council
du Canada   for the Arts

Nous remercions le Conseil des Arts du Canada de l'aide accordée
à notre programme de publication.

Nous reconnaissons l'aide financière du gouvernement du
Canada par l'entremise du Fonds du livre du Canada pour nos
activités d'édition.

À mon amie Yolande,

Au nom de tous les beaux
moments partagés ensemble. Merci pour
ton amitié indéfectible. Tu es ce qu'on
appelle "une très belle personne, une
belle âme. Merci d'être mon amie,
Bonne lecture,
Louise No

NICOLE BORDELEAU

L'ART DE SE
RÉINVENTER

LES ÉDITIONS DE
L'HOMME
Une société de Québecor Média

« On a deux vies.
La deuxième commence le jour
où on réalise qu'on en a juste une. »

Confucius

Avant-propos

L'aube tire doucement sur la manche de mon pyjama. Sans résistance, je me lève. Il a plu à torrents durant la nuit. Dehors, la nature s'étire. La pluie l'a reposée. C'est un matin d'une grande intensité lumineuse. Au rez-de-chaussée de la maison, la cuisine est silencieuse. Le monde commence aujourd'hui et je renais avec lui !

Cela me fait sourire intérieurement, car il fut un temps où jamais je n'aurais pu écrire ni même penser de tels mots. Chaque jour était pour moi un épuisant combat. Après des années d'errance et de faux départs, j'atterrissais dans la réalité et le choc était brutal. Je sortais d'une dépendance à la cocaïne et d'une relation amoureuse qui m'avait coûté très cher en estime de moi. À cette époque, je n'avais que 25 ans, mais j'avais l'impression d'en avoir 105. Tout m'apparaissait tellement lourd et difficile à vivre. Je ne savais plus qui j'étais et encore moins ce que je voulais devenir. La seule chose qui me restait à faire, c'était de recommencer à zéro.

Je devais me réinventer de A à Z. La seule bonne nouvelle, c'est que, cette fois, je choisirais moi-même les nouveaux « morceaux » pour me créer cette nouvelle vie. Pour y parvenir, je devrais prendre les bouchées doubles. J'ai commencé par dénicher un petit appartement et un emploi. Je travaillais le jour, et le soir j'étudiais pour obtenir un diplôme qui m'ouvrirait les portes de la mode et des médias. J'en avais rêvé toute ma vie. Après plusieurs années d'efforts, j'avais réussi à me refaire une santé, j'enseignais dans une grande école de mode, j'avais rencontré le grand amour, mais je n'avais pas encore trouvé de temps pour vivre. Au quotidien, ma vie était un véritable tourbillon d'activités et de projets sans fin. Mais les choses allaient bientôt changer.

À 38 ans et des poussières, on m'a appris que j'étais porteuse d'un virus mortel, l'hépatite C, pour lequel, à cette époque, il n'y avait aucun traitement. Très vite, j'ai compris que j'allais devoir me réinventer de nouveau. Mais, cette fois, la métamorphose serait plus profonde, je le pressentais. Face à la maladie, il ne servait à rien de faire mille et un changements extérieurement. La vie m'invitait à descendre au fond, au tréfonds de mon être pour m'y assembler et me recréer intérieurement.

J'étais terrifiée, mais je n'avais d'autre choix que d'avancer vers ce nouveau monde. Au début, j'avançais à petits pas. Puis, j'ai commencé à progresser avec plus de confiance. Il ne s'agissait plus de changer d'apparence, de carrière, de relation, ni d'aller vivre au bout du monde, mais d'apprendre à vivre une existence plus riche, plus réelle, plus profonde et plus authentique.

Ce livre, je le porte en moi depuis le début de cette aventure. Au terme de vingt-cinq années sur mon parcours, j'ai assemblé patiemment les trésors, les leçons et les enseignements de vie qui m'ont aidée à me réinventer et à me redéfinir. Vous ne trouverez dans ce livre ni recettes ni formules magiques pour transformer votre vie en un coup de baguette. En ce qui me concerne, il m'a fallu du temps, beaucoup de temps, de patience, d'efforts et d'erreurs de parcours pour arriver à transformer ma vie intérieure et ma vie extérieure.

Si j'ai réussi à transformer mon existence de A à Z, c'est grâce aux outils et aux défis que la vie a placés sur ma route et aussi grâce à la grande sagesse des personnes qui m'ont accompagnée vers la guérison du corps, du cœur et de l'âme. Ce livre explique comment j'y suis arrivée, et, bien que mon apprentissage se poursuive toujours, le moment est venu pour moi de partager à mon tour ce que j'ai appris jusqu'ici.

Que vous soyez heureux et satisfait de votre vie actuelle, que vous soyez à un tournant important ou au cœur d'une crise existentielle, une invitation quotidienne vous est lancée : découvrir que vous portez déjà en vous-même des ressources insoupçonnées pour vous réinventer.

J'espère que vous trouverez dans cet ouvrage un mot, une phrase, une réflexion, un exercice ou une méditation qui vous aidera à réaliser que vous avez tout ce dont vous avez besoin pour vivre le meilleur de votre vie, dès aujourd'hui !

Que la vie vous soit douce,

NICOLE

TRANSFORMATION

SE RÉINVENTER

On se lève le matin et déjà une longue liste de choses à faire nous attend. Dans la journée, sans cesse à la course, on a l'impression de faire mille et une choses en même temps, mais la liste, elle, continue de s'allonger. Les responsabilités à assumer, les problèmes à résoudre, les horaires à respecter et les performances à accomplir nous gardent perpétuellement prisonniers de l'angoisse de manquer de temps. Le soir venu, pour oublier sa journée, on s'installe devant un roman, la télé ou l'ordinateur. Sur l'écran, on se laisse emporter passivement par une image déformée de la réalité qui s'offre à soi sur les réseaux sociaux. Lorsqu'on ferme l'ordinateur, le téléviseur, qu'on range le magazine ou le roman, on a soudainement une pointe d'angoisse face à notre vie. On a l'impression que celle des autres est tellement plus excitante que la nôtre!

Devant cette constatation, on se laisse séduire par le rêve d'une autre existence. Ne sachant comment s'y prendre, on se laisse influencer par des images biaisées du bonheur. On s'imagine alors qu'une nouvelle coupe de cheveux, une voiture sport, une promotion au travail, une plus grande maison ou une nouvelle relation donnerait une nouvelle orientation à notre existence. On prend un rendez-vous chez le coiffeur, on postule pour un autre emploi, on visite des maisons avec un courtier immobilier, en croyant que tout cela nous rendra plus heureux. Et, quelques mois plus tard, lorsque la coupe de cheveux est passée de mode, que la vaste maison ou la promotion n'a fait qu'augmenter notre stress, que notre nouvelle relation amoureuse ressemble plus ou moins à l'ancienne, nous sommes de retour à la case départ.

Mais comment fait-on pour changer sa vie ? Comment faire pour se libérer de ses habitudes, pour dépasser ses angoisses existentielles ? Comment accéder à cette excitante aventure de se réinventer ? Quel est le premier pas à faire pour y parvenir ? Cette période de questionnement, bien qu'inconfortable, est essentielle. Se questionner sur le sens de sa vie, c'est un premier pas vers une transformation intérieure.

Nous avons la capacité de nous réinventer sans avoir à tout chambarder autour de nous. Nous pouvons tous faire l'expérience d'une réinvention de nous-mêmes sans changer notre apparence physique, sans quitter notre emploi, notre maison, nos relations. Autrement dit, le point de départ, c'est soi-même !

Si vous scrutez très attentivement le monde autour de vous, vous verrez que la vie se réinvente continuellement. Dans la nature, rien ne se répète. À chaque instant, tout est frais. Tout est nouveau. Chaque jour, la vie se transforme. Et, chaque jour, elle nous fait la même invitation : celle de nous réinventer avec elle.

La dernière fois

À quand remonte la dernière fois où vous vous êtes arrêté pour sentir la chaleur du soleil sur votre joue ou l'herbe sous vos pieds en marchant ?

À quand remonte la dernière fois où vous avez écouté le silence ? La mélodie du vent ? Le son de la pluie ?

À quand remonte la dernière fois où vous avez levé les yeux pour admirer la beauté d'un ciel étoilé ?

À quand remonte la dernière fois où vous avez goûté toutes les saveurs de votre repas ?

À quand remonte la dernière fois où vous avez ressenti intérieurement le doux va-et-vient de votre souffle ?

Et à quand remonte la dernière fois où vous étiez véritablement présent et conscient de vos pensées, de vos paroles, de vos actions, dans votre vie au quotidien ?

Ces questions pointent vers une seule et même réponse : nous nous contentons trop souvent de réfléchir à notre vie au lieu d'en faire l'expérience avec nos sens.

Pour transformer sa vie, on doit commencer par s'éveiller aux petits comme aux grands moments de l'existence. Qu'il s'agisse de rédiger un dossier ou de lire ce livre, de donner le bain aux enfants ou de faire la lessive, de contempler une œuvre d'art ou de nettoyer un dégât sur le plancher, si vous prêtez votre pleine attention à ce moment de vie, si anodin soit-il, vous serez pleinement présent. Et lorsque nous sommes vraiment présents avec nos cinq sens, rien ne manque. Le moment présent est un moment « parfait ».

UNE JOURNÉE NEUVE !

Pendant que j'écris ces mots, la douce brise du printemps fait bouger le petit carton jaune placé en permanence sur ma table de travail et sur lequel on peut lire : « Aujourd'hui, c'est une journée neuve ! » Voilà les mots qui m'ont aidée à me réinventer. La voilà, la phrase qui m'a donné le courage de me battre durant deux décennies contre la maladie et qui, un beau matin, m'a fait retomber amoureuse de ma vie.

Ce jour-là, je me suis réveillée avec une boule d'angoisse en plein centre de la poitrine. La veille, j'avais eu quelques problèmes de gestion au travail et, depuis, je n'arrivais plus à penser à autre chose. J'avais tourné en rond toute la nuit pour trouver une solution et, au réveil, j'étais encore plus inquiète que la veille.

Au petit-déjeuner, mon esprit me ramenait constamment aux mêmes difficultés, sans me fournir de solution. Il ne faisait aucun doute que cette journée à venir serait pénible à vivre. J'ai terminé mon petit-déjeuner sur cette pensée, puis je suis montée à l'étage pour me préparer. Tout à coup, en rentrant dans la salle de bains, j'ai mis le pied dans une flaque d'eau. La tuyauterie du lavabo fuyait ! Bon sang ! Ce dégât allait me mettre en retard !

Je suis redescendue à la cuisine pour téléphoner de toute urgence au plombier en priant pour qu'il me réponde. Paulo, avec sa bonne humeur habituelle, m'a rassurée. Notre maison était située sur le chemin de son premier rendez-vous du matin et il serait là dans quelques minutes.

Comme il l'avait promis, une quinzaine de minutes plus tard, notre plombier au visage joufflu ouvrait sa boîte d'outils sur le plancher de la salle de bains. Pendant qu'il vérifiait la tuyauterie, j'en ai profité pour lui demander de ses nouvelles. Et, ce jour-là, sa merveilleuse réponse, jamais je ne l'ai oubliée : « Certain que ça va ben, c't'une journée neuve ! »

Tandis que Paulo réparait le lavabo, mon premier geste fut de saisir un bout de carton et d'y inscrire ces sages mots : *Aujourd'hui, c'est une journée neuve !* Mon ami plombier venait de me faire cadeau d'une belle et grande leçon qui allait me suivre pour des années à venir : aujourd'hui, ce n'est pas une nouvelle journée pour répéter mes problèmes et ressasser mes anxiétés d'hier. Non ! Il venait de m'ouvrir grand les yeux sur une autre perspective de vie grâce à une toute petite phrase d'une grande sagesse : c'est une journée *neuve* !

« L'art de vivre ne consiste pas
à se laisser aller avec insouciance
ni à se cramponner de peur.
Il consiste à être sensible
à chaque instant, en le regardant
comme totalement nouveau
et unique, en ayant un
esprit ouvert et pleinement réceptif. »

Alan Watts

ATTENDRE SON BONHEUR

Parce que notre société nous impose une image préfabriquée du bonheur, nous sommes nombreux à croire qu'il viendra avec l'achat d'un nouveau bien matériel, un rajeunissement dans notre apparence ou une perte de poids, une croisière en haute mer ou un voyage exotique, ou encore avec l'arrivée d'une nouvelle relation, d'une promotion ou d'un événement extraordinaire... Alors, on attend patiemment d'être heureux un jour, chacun son tour. On attend de terminer ses études ou de trouver un meilleur emploi. On attend de rencontrer le grand amour ou de divorcer. On attend de changer de voiture, de partir en vacances ou de déménager dans le condo de ses rêves. On attend d'avoir un enfant ou que les adolescents quittent la maison. On attend de payer ses dettes ou de partir à la retraite. On attend de reprendre la forme ou de recouvrer la santé. On attend ceci. On attend cela. Puis les années passent. Les responsabilités et les exigences de la vie changent, mais elles ne finissent jamais vraiment. Pendant ce temps, on est toujours dans la file d'attente.

Le bonheur, le vrai, ce n'est ni un événement ni une situation particulière, mais un état d'être. Le bonheur est un état d'esprit qui prend vie avec la simple décision d'être responsables à cent pour cent de notre bonheur et d'être heureux, ici et maintenant, dans le moment présent. Lorsque je pense à toutes les fois où j'ai attendu que les conditions extérieures de ma vie me fournissent des raisons pour être heureuse, je constate que j'ai perdu du précieux temps. Puis, un beau jour, j'ai finalement compris que je ne pouvais pas donner aux autres ou aux circonstances de la vie la responsabilité de me rendre heureuse. À compter de ce moment-là, j'ai pris la décision d'être la seule responsable de mon bonheur.

Se tenir entièrement responsable de son bonheur va bien au-delà des limites de la simple pensée positive. Apprendre ou réapprendre à être heureux, ici et maintenant, c'est l'art le plus beau et le plus noble qui soit. Lorsque notre bonheur prend source de l'intérieur, nous devenons les maîtres d'œuvre de notre existence. Ainsi transformée, notre vie devient un grand et beau chef-d'œuvre.

Combien sommes-nous
à attendre le « bon » moment
pour vivre ?

Et si le « bon » moment,
c'était maintenant ?

MÉTAMORPHOSE

Peu importe notre âge, notre état de santé, notre niveau d'éducation ou nos conditions de vie, il existe en chacun de nous un incroyable pouvoir de transformation. Mais, pour parvenir à une véritable métamorphose de notre être, nous devons nous dégager des conditionnements, un à la fois, et laisser aller les idées et les croyances qui nous maintiennent à l'étroit, les comportements qui nous nuisent ou qui nous limitent. Et, parfois même, nous devons rompre certaines relations qui ne participent plus à notre évolution.

Toute transformation véritable sera précédée d'un mal-être, d'une période de doute et de remise en question. En plein cœur d'une métamorphose, il y aura une séparation entre ce que je considérais comme étant « moi » et ce que je souhaite devenir. C'est inévitable. Quand je suis à me réinventer, mon monde intérieur et mon environnement sont sur le point de changer. C'est normal. À ces moments-là, il faut éviter de se concentrer sur ce que l'on laisse derrière, sinon on aura l'impression de perdre plus que l'on gagne.

Quand le doute ou la peur monte parce qu'on doit se détacher de ce qui est familier, il faut s'inspirer de la transmutation que doit subir une chenille avant de devenir un papillon. Ce petit insecte devra changer quatre ou cinq fois de peau avant d'être transformé en chrysalide. Par la suite, pour se libérer de son cocon devenu trop étroit, il devra fournir des efforts gigantesques. En raison de son corps chétif et engourdi et de ses ailes peu développées, ce passage vers la lumière lui demandera de grands efforts, mais ce sont tous ces efforts déployés par la chenille qui transmettront à ses ailes la force nécessaire pour se libérer du cocon. Et c'est au moment même où la chenille croit que son monde va s'écrouler qu'elle se métamorphose en magnifique papillon, prêt à prendre son envol.

Si, en ce moment même, vous hésitez à sortir de votre cocon pour prendre votre envol, rappelez-vous que c'est au moment même où vous croyez que tout s'effondre et que vous allez tout perdre, qu'une transformation profonde se met à l'œuvre. Et grâce à votre persévérance, bientôt, très bientôt, vous découvrirez un nouveau monde.

« Il est tellement important de laisser certaines
choses disparaître.
De s'en défaire. De s'en libérer.
[...]
Vous devez clore des cycles,
non par fierté, par orgueil ou par incapacité,
mais simplement parce que ce qui précède
n'a plus sa place dans votre vie.
Faites le ménage, secouez la poussière,
fermez la porte, changez de disque.
Cessez d'être ce que vous étiez et
devenez ce que vous êtes... »

Paolo Coelho

Quoi de neuf ?

« Quoi de neuf, aujourd'hui ? » demanda le cafetier en tendant un café à son premier client du matin.

« Pas grand-chose », répondit l'homme en quittant les lieux.

Quelques secondes plus tard, un autre client se présenta au comptoir.

« Quoi de neuf, ce matin ? » lui demanda le cafetier.

« Tout ! » répondit l'homme en quittant les lieux.

D'emblée, la vie se leva pour le suivre !

DÉCOUVRIR UN NOUVEAU MONDE

Se réinventer, c'est s'ouvrir à un monde nouveau.

Aimeriez-vous en faire l'expérience dès maintenant ?

Peu importe où vous êtes en ce moment, observez attentivement ce qui vous entoure.

Osez aborder, regarder, écouter, toucher et ressentir votre réalité différemment.

À cet instant même, autour de vous, tout se réinvente continuellement.

Le voyez-vous ?

Le renouveau du monde se manifeste continuellement.

Exercez-vous à saisir pleinement le moment présent.

Faites-en l'expérience avec tous vos sens.

Ouvrez-vous à la richesse du monde qui vous entoure. Ouvrez grand, très grand.

De cette ouverture, vous allez découvrir le germe d'un monde tout neuf.

Ce monde est là, en vous, il vous attend.

« Renouvelle-toi complètement chaque jour ;
et encore, et encore, et encore à jamais. »

Henry David Thoreau

CONFIANCE

PAGE BLANCHE

Ma vie est comme un grand livre qui s'ouvre chaque jour devant moi.

Mes pensées et mes paroles sont de l'encre noire.

Le matin, une page toute blanche, toute neuve, s'offre à moi.

Mon histoire, chaque jour, débute avec les mots « Je suis... ».

Ce qui vient après ces deux mots me définit, me limite, m'enrichit ou me poursuit.

Si je répète chaque jour que je suis maladroite, que je suis incapable, que je suis malchanceuse, que je suis malade… non seulement je le suis, mais je le reste !

Aujourd'hui, prêtez attention aux mots « Je suis… ».

Ce qui suit ces mots trace votre histoire en devenir.

Le pouvoir des mots

Il y a quelques années, alors que j'étais en pleine consultation avec un spécialiste renommé des maladies du foie, j'ai reçu une leçon de vie inestimable qui fut l'une des étapes les plus importantes dans mon parcours de réinvention. Afin d'évaluer mon état de santé, l'hépatologue m'a posé des questions sur les divers symptômes causés par l'hépatite C. Il m'a demandé si je dormais bien la nuit et je lui ai répondu que mon hépatite fragilisait mon sommeil. Lorsqu'il m'a questionnée sur mon appétit, je lui ai répondu que mon hépatite affectait la digestion des aliments. Ce jour-là, en répondant à ces questions, je me suis soudainement écoutée parler. À maintes reprises, je me suis entendue répéter « mon hépatite ».

Avec mes propres mots, je m'identifiais à cette infection. Je m'appropriais ce virus mortel en affirmant tout haut à ce médecin que cette maladie était « mienne ». Lorsque je m'en suis rendu compte, j'ai frissonné de la tête aux pieds. Il était grand temps de changer ma vision de la maladie. À partir de ce moment-là, chaque fois que j'ai eu à parler de la maladie, j'ai dit simplement « l'hépatite ». Et, peu à peu, je me suis détachée d'elle, et elle s'est détachée de moi.

Quand on commence à prêter attention à ce qu'on dit et qu'on choisit ses mots en toute conscience, c'est le début d'une véritable transformation. Puisque tout ce qui existe dans l'univers est fait d'énergie, notre corps est fait de cette énergie, tout comme nos pensées, nos actions et nos paroles. Les mots sont de l'énergie en mouvement et de l'information qui fait vibrer notre organisme. Nos paroles sont des forces créatrices qui produisent une résonance dans notre corps. Et, trop souvent, sans même nous en rendre compte, nous nous identifions à certaines conditions en les désignant comme étant « nôtres » : « Mon gros ventre » ; « Mes migraines » ; « Mon mal de dos ».

Nous ne pouvons nier nos douleurs, nos difficultés et nos expériences malheureuses, mais nous pouvons mettre une saine distance entre nous et ces circonstances provisoires et transitoires. Ces situations ne sont pas ce qu'on est, elles vont et viennent, et peu importe leur durée, dès qu'on cesse de les considérer comme étant « soi » ou « siennes », on reprend le pouvoir.

Aujourd'hui, assurez-vous que vos mots participent à votre guérison et à votre transformation. Prêtez attention à vos paroles et ne mettez jamais un point final au bout d'une phrase négative, surtout si elle vous concerne. Peu importe ce que vous vivez en ce moment, gardez la porte ouverte au changement.

Aujourd'hui, laissez derrière vous
votre vieille histoire.
Et laissez la vie vous en proposer
une toute nouvelle !

Reconstruction de soi

L'autre jour, je marchais dans un vieux quartier de la ville lorsqu'une pancarte placée en plein centre du trottoir attira mon attention. On pouvait y lire en grosses lettres noires sur fond blanc : « Rénovations en cours. Veuillez excuser les désagréments et merci de votre patience. »

Quiconque a déjà entrepris des rénovations chez soi sait pertinemment qu'en cours de travaux, inévitablement, il y aura des délais, des imprévus et quelques surprises. Dans l'expérience de se réinventer, c'est la même chose, sauf que les « rénovations » se font à l'intérieur de soi-même.

Durant le processus de reconstruction de soi, il faudra faire preuve de patience envers soi. Ces changements importants exigent une période d'ajustement. Pendant cette transition, il arrive qu'on perde ses repères. Pendant un certain temps, on ne se reconnaît plus. On se demande même qui l'on est. Que sommes-nous sur le point de devenir ? Nous nous surprenons même à dire ou à faire des choses qui ne nous ressemblent pas ou qui ne nous ressemblent plus. Et c'est tout à fait normal. Devenir soi-même demande du temps.

Lorsque nous choisissons de nous réinventer, notre façon de penser, nos paroles, nos actions et nos choix de vie changent peu à peu, eux aussi. Mais, tout comme durant les rénovations de notre demeure, il faut simplement faire preuve de patience, de souplesse et de persévérance. Le simple fait de se focaliser sur les raisons pour lesquelles on choisit de se réinventer permet de mieux traverser les difficultés inhérentes à tout changement.

Quoi qu'il vous arrive, à vous qui lisez ces mots, persévérez. Si vous traversez présentement une période de turbulences et de changement, rappelez-vous que l'inconfort est temporaire et souvent de courte durée. Prenez de profondes respirations et focalisez-vous sur les bienfaits de la transformation à venir.

Debout à l'intérieur

Enfants, mon frère, ma sœur et moi partagions la même chambre. À l'heure du coucher, dès que notre mère avait éteint la lumière et fermé la porte, mon frère avait toujours le même rituel : il se mettait debout au milieu de son lit, sur la pointe des pieds, pour sautiller sur le matelas. Il le faisait avec tant de joie qu'on ne pouvait s'empêcher, ma sœur et moi, de rire aux éclats.

Chaque soir, ce joyeux vacarme attirait l'attention de notre mère, qui revenait dans la chambre pour nous ordonner de dormir. Mon frère obéissait quelques secondes, puis il recommençait à sautiller de plus belle. Après deux ou trois tentatives pour nous calmer, notre mère appelait notre père à la rescousse. Dès que résonnait sa grosse voix autoritaire, mon petit frère pliait les genoux et nous nous cachions tous les trois sous nos couvertures.

Nos parents, croyant que mon frère était enfin couché pour la nuit, retournaient au salon pour regarder la télévision. Dans notre chambre, il faisait noir et tout était silencieux. Mais ma sœur et moi sentions très bien qu'intérieurement, notre petit frère était toujours debout !

Grâce à ce petit bout d'homme de 5 ans, j'ai appris que, lorsqu'une situation nous force à plier les genoux, nous devons commencer par nous relever intérieurement. Car, à l'instant où vous vous redressez intérieurement, vous êtes déjà en train de vous réinventer !

SE FAIRE CONFIANCE

Lorsqu'on prend la résolution de faire un changement important dans sa vie, on se cramponne fermement au désir de changer. Pendant quelques jours ou quelques semaines, on tient bon. On tient ses résolutions. Puis, un beau matin, on abandonne...

On blâme alors le manque de temps ou de moyens, la fatigue ou la température, et même son manque de volonté, mais rarement le manque de confiance en soi. Or, lorsqu'on y regarde de plus près, on constate que c'est le manque de confiance qui est le plus grand obstacle sur la voie de la transformation.

Le manque de confiance en soi, ce sont toutes ces voix dont vous n'êtes pas toujours conscient, qui sont les messagères de la peur, du doute, de la confusion, de l'autojugement et du blâme. « Tu n'y arriveras pas. » « Tu as déjà essayé et ça n'a pas marché. » « Tu te fais des idées. » « Tu vas encore finir par abandonner. »

Dès aujourd'hui, il est essentiel de prêter attention à vos pensées, car tout ce qui traverse votre esprit à répétition sculpte votre réalité. Donc, dès que vous entendez l'une de ces voix, il est important de la remplacer par un mantra qui renforce la confiance en soi.

Le jour où j'ai pris la décision de changer de vie, j'y suis parvenue parce que j'ai fait des efforts et posé certains gestes, mais aussi parce que je me suis répété des milliers de fois avec fermeté et compassion : « Tu es capable et tu vas y arriver. »

Lorsque vous prenez la décision de faire un changement majeur dans votre vie, faites-vous le cadeau d'un mantra personnel et significatif, qui vous encouragera et vous soutiendra tout au long de votre transformation, et ne partez jamais sans lui !

DES RACINES ET DES AILES

J'étais assise par terre à réviser avant un examen dans le but d'obtenir un certificat de professeure de yoga. Je m'efforçais de mémoriser des termes en sanskrit, lorsqu'une présence est apparue discrètement près de moi. En soulevant la tête, j'ai reconnu cet homme au sourire bon et généreux qui m'avait déjà enseigné de belles choses par le passé. En pointant du doigt mes livres ouverts sur le plancher, il m'a demandé ce que j'étudiais. Je lui ai dit que j'espérais devenir professeure de yoga, mais que j'avais peur d'échouer à cet examen. Il m'a alors appris une technique respiratoire pour apaiser mon anxiété.

« Tu dois te servir de ton souffle pour t'enraciner dans ton hara. » Il a poursuivi son explication en précisant que ce mot japonais désigne un centre énergétique situé environ trois doigts sous le nombril. C'est une sorte de réservoir de vie dont les maîtres en arts martiaux tirent une énergie inépuisable. Et chacun peut puiser dans ce centre vital un courant de force qu'on appelle fleuve de vie ou chi.

La technique est simple. Elle consiste à imaginer que de longues racines relient nos pieds à la terre, puis il s'agit d'inspirer, mais sans remplir complètement les poumons. En expirant lentement, on fait vibrer le son « aha » dans l'air, jusqu'à ce que les poumons soient complètement vides. Ce son est le même qu'on exprime spontanément quand on est soulagé d'un lourd fardeau ou émerveillé par quelque chose de beau.

« En expirant ainsi, tu maîtrises tes énergies internes (chi) et tu actives la force du hara. Cette force qui émerge au niveau du bas-ventre régénère, équilibre et enracine ton être en lui-même. Elle donne à la fois des racines et des ailes pour traverser toutes les situations avec courage et avec grâce », conclut le maître de yoga.

Après l'avoir remercié de ce précieux cadeau, je suis entrée dans la salle de cours. Au moment de l'examen, discrètement, j'ai testé cette méthode pour vaincre ma nervosité. Après une douzaine de respirations, l'effet s'est fait sentir sur mon état d'être. Telle une véritable forme de méditation en mouvement, mon corps et mon esprit s'enracinaient dans cette force intérieure. Ma nervosité s'évanouissait avec chaque expiration et ma conscience s'éclaircissait pour me dévoiler les réponses que je cherchais. J'ai obtenu mon diplôme et, depuis ce jour, cette pratique est l'un de mes plus précieux outils pour recentrer et rééquilibrer mes énergies.

Aujourd'hui, c'est à mon tour de partager cette technique avec vous. La prochaine fois que vous désirerez stabiliser votre humeur, réduire vos impulsions, renforcer votre confiance, faites-en l'essai.

Prendre un risque

Chacun souhaite un jour se réaliser, se dépasser, se recréer, mais avec ce désir de changement viennent aussi des incertitudes et des doutes. Malgré la volonté de se transformer, il arrive qu'on hésite. On n'ose plus avancer ni prendre le moindre risque. Par crainte de l'inconnu ou par peur d'échouer, il arrive même qu'on recule et qu'on se dissimule derrière des excuses. On blâme le manque de temps, le manque d'argent, les responsabilités qui s'accumulent, sa situation familiale, son âge, son poids, son état de santé…

Vouloir que les choses changent et faire en sorte qu'elles changent sont deux choses complètement différentes. L'une est une pensée ; l'autre implique qu'on doive s'activer. Pour se réaliser, il faut passer à l'acte. On doit sortir des rangs, quitter sa zone de sécurité, chambouler ses habitudes, tracer sa propre voie, suivre son chemin. Il faut transcender les limites qu'on s'est imposées. Et, malgré la peur, on doit se mettre en mouvement, avancer sur un terrain inconnu, oser prendre un tournant, faire un saut devant soi. Il n'y a pas d'autre option. Il faut se mettre en péril et courir des risques. Pour se réinventer, il y a tant de beaux risques à prendre.

Le risque de vivre de manière authentique.

Le risque de dépasser les limites imposées.

Le risque de vous dévoiler entièrement à l'autre.

Le risque de dire votre vérité.

Le risque d'exprimer entièrement votre créativité.

Le risque de réaliser un rêve caché au fond de vous.

Le risque de rester présent à vous-même quand vous avez
peur ou que vous avez mal.

Le risque d'aimer sans carapace.

Le risque de vivre pleinement chaque instant.

Le risque, le merveilleux risque de vous réinventer,
ici et maintenant.

Aujourd'hui, demandez-vous :
« Quel talent dort encore en moi ?
Quelle habileté n'ai-je pas encore découverte ? »

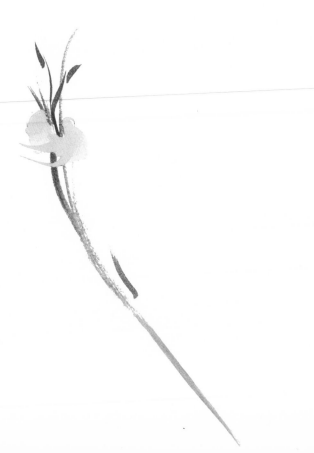

Un premier pas

Avez-vous souvenir d'un enfant qui fait son premier pas ? Vous rappelez-vous ce précieux instant où il soulève le pied, hésite et vacille quelques secondes ? Ce moment unique où, juste après, il se redresse et, avec courage, fait son premier pas ? Eh bien, dans notre vie d'adulte, il y a des moments où nous devons rassembler en nous ce même courage et faire un premier pas...

Un premier pas pour quitter une situation qui ne va plus.

Un premier pas pour avancer vers l'inconnu.

Un premier pas pour dépasser des limites imposées.

Un premier pas pour pardonner.

Un premier pas pour dire ce « je t'aime » si difficile à prononcer.

Un premier pas pour...

Aujourd'hui est venu le moment de faire ce premier pas.

Continuez d'avancer

Lorsqu'on a perdu ses repères, qu'on se sent confus ou découragé, comment fait-on pour persévérer? Lorsqu'on ne voit rien devant soi, comment fait-on pour continuer d'espérer que les choses vont changer? Lorsque les résultats de nos efforts tardent à venir, que rien ne bouge, comment ne pas abandonner?

C'est peut-être dans la nature que se trouve la réponse à toutes ces questions. Avez-vous déjà remarqué que c'est à l'heure la plus sombre qu'apparaît la première lueur de l'aube?

À la fin de l'hiver, sous la neige, rien, absolument rien n'indique qu'une nouvelle saison va bientôt remplacer celle en cours. Pourtant, sous le sol gelé, tout se métamorphose et s'apprête à renaître. Puis, un beau matin, contre toute attente, un brin de verdure se faufile entre les fissures du béton pour nous aviser de l'arrivée du doux printemps.

Dans la vie, parce qu'ils ne voient poindre aucun changement immédiat, bien des gens baissent les bras et abandonnent. Et pourtant, c'est précisément à cette étape qu'il faut faire un pas de plus. Un pas vers l'avant. Même si, pendant un certain temps qui peut nous sembler une éternité, le changement reste invisible, une profonde transformation est en cours.

Un jour, peut-être aujourd'hui, ou demain, au moment où vous vous y attendrez le moins, vous verrez le fruit de vos efforts. Et lorsque vous serez sur le point de vous décourager, souvenez-vous que ce n'est pas parce qu'on ne voit rien que rien ne se produit. Quoi qu'il advienne, continuez d'avancer.

Rien n'arrive en vain

Il arrive parfois à chacun de nous de vouloir étouffer un rêve par peur qu'il ne se réalise jamais, par peur de se tromper ou de faire un mauvais choix. On connaît tous des gens qui ont travaillé très fort pour atteindre un but, mais qui, malgré tout, ont essuyé un échec, subi une défaite. Alors, on a peur d'échouer à son tour. Peur de ce que les autres vont penser ou dire si on ne réussit pas.

Toutes les étapes pour atteindre un but, qu'elles soient fructueuses ou non, sont essentielles au succès. Si nous cherchons un droit chemin en faisant tout pour éviter les erreurs, il est possible que nous atteignions notre but, cependant nous sautons une précieuse étape : l'expérience que l'on acquiert en faisant des essais et des erreurs.

Un ami m'a fait parvenir un jour un article dans lequel Thomas Edison, le fameux inventeur, avouait à un jeune journaliste qu'il n'avait pas fait des centaines de tentatives infructueuses, mais plutôt des milliers d'erreurs, avant de mettre au point l'ampoule électrique. Étonné, le journaliste lui demanda comment il avait fait pour ne jamais se décourager. « Ce que vous appelez "échecs", répondit sagement Edison, n'est en fait qu'une suite d'étapes nécessaires d'un long processus, qui m'ont permis de mettre la touche finale à l'ampoule électrique. »

À l'exemple de cet homme de génie, pourquoi ne pas considérer une défaite ou un échec comme une étape grâce à laquelle nous pouvons évoluer, grandir et réussir?

Aujourd'hui, si votre tentative ne produit pas le résultat escompté ou si vous n'obtenez pas rapidement ce que vous espérez, pourquoi, au lieu de considérer cela comme un échec, ne pas y voir un indice pointant dans la direction qui mène au succès?

« Si vous fermez la porte à toutes les erreurs,
la vérité restera dehors. »

Rabindranath Tagore

TOUT PEUT CHANGER

Ne vous laissez pas décourager par ce qui se passe aujourd'hui. Même si, pour le moment, les circonstances de votre vie ne vous semblent pas favorables, ne vous laissez pas abattre. Surtout, ne vous imposez pas de limites. N'abandonnez pas vos rêves en raison de votre poids, de votre niveau d'éducation, de votre situation financière, de votre état de santé, d'un handicap ou d'une dépendance…

Toutes les fois où vous jouez un scénario négatif dans votre tête, que vous doutez de vous et que vous êtes sur le point de baisser les bras, stoppez l'autosabotage. Ces comportements vous nuisent et vous empêchent de vivre la vie à laquelle vous aspirez.

Rien n'est fixé à jamais. Tout peut changer. Tout obstacle sur votre chemin n'est pas une limite que la vie vous impose, mais un point de départ et une invitation à vous dépasser. Et même si certaines situations semblent insurmontables, chaque jour, il y a des personnes qui réussissent à franchir des obstacles que d'autres considèrent comme infranchissables.

Osez chambouler les idées fixes et les préjugés. Votre esprit possède un immense potentiel. Ayez confiance : vous portez en vous-même des ressources insoupçonnées. Découvrez-les !

Peu importe ce qui se passe dans votre vie, relevez chaque défi la tête bien haute et allez, sans détour, vers la vie que vous désirez.

Ne vous comparez à personne.

La comparaison crée le manque.

Cessez de vous critiquer.

Vous êtes en pleine évolution.

Appréciez votre unicité.

Vous êtes un mystère à découvrir.

Célébrez votre différence.

Vous êtes un miracle en devenir.

Dire oui quand c'est non...

L'une des étapes les plus difficiles dans mon cheminement personnel et spirituel fut d'apprendre à dire non. Par le passé, trop souvent, quand on me faisait une demande, qu'on m'invitait à un événement, qu'on me sollicitait pour un service, pour du temps ou de l'argent, je ne pouvais refuser. Et si j'arrivais à le faire, par la suite je payais le fort prix en me torturant de culpabilité. Par manque de confiance en moi, tant de fois j'ai acquiescé à des demandes, alors que mon cœur me conseillait de dire non. Et chaque fois que je ne l'ai pas écouté, que j'ai fait la sourde oreille à ses sages conseils, je l'ai regretté.

Combien de fois ai-je fait comme les autres pour ne pas sortir du lot? Combien de fois ai-je fait des courbettes pour ne pas déplaire? Et combien de fois ai-je acquiescé à une demande de peur de blesser l'autre ou de passer pour une égoïste? Tant de fois que je n'ose même plus les compter. Puis, un beau matin, alors que j'étais épuisée physiquement et que je m'apprêtais à confirmer ma présence à une soirée à laquelle je n'avais aucune envie d'assister, mon souffle s'est coupé, mon cœur s'est mis à cogner et ma gorge s'est serrée. Clairement, mon corps me faisait savoir que je devais dire non à cette invitation. Sur le coup, j'ai hésité à l'écouter. Mon ego, de sa voix intérieure culpabilisante, tentait de me faire douter de ma décision.

Mais j'ai tenu bon. Mon corps disait non, mon cœur disait non, et j'ai moi aussi décidé de dire non. J'ai respiré un grand coup et j'ai téléphoné à la personne en question pour poliment décliner son invitation. Ce tout petit acte de courage m'a permis d'être authentique avec cette personne et intègre face à moi-même.

Depuis ce jour, je me donne le défi de prendre le temps de respirer avant d'accepter ou de décliner une requête ou une invitation. Je me demande intérieurement : « Est-ce que j'accepte par culpabilité, par obligation ? Est-ce que je décline par manque de courage ? Quel est le prix de ce oui ou de ce non ? Qui en paiera la note ? »

Aujourd'hui, je constate que ce questionnement simplifie ma vie. Mieux encore, j'ai noté que chaque fois que je réponds à quelqu'un simplement et avec authenticité, que ma réponse soit positive ou négative, celle-ci est généralement bien reçue, parce qu'elle vient de mon cœur.

Apprenez à vous écouter intérieurement et faites confiance à votre cœur, car il sait fort bien si la réponse est « oui » ou « non ».

À CHACUN SON DESTIN

Nos rêves sont précieux et parfois ils sont aussi très fragiles. Voilà pourquoi il faut être prudent quand on choisit de les confier à quelqu'un de son entourage, à des amis ou à des collègues. Je ne dis pas que c'est une erreur de partager ses rêves et de faire confiance aux autres ; je dis simplement qu'il est important de bien choisir les personnes avec qui l'on souhaite le faire.

Sur mon chemin, j'ai croisé des gens qui m'ont soutenue et encouragée dans mes démarches et nombreux projets, mais j'ai aussi rencontré des personnes qui ont projeté sur moi leurs peurs et leurs insécurités. Certaines ont même pris l'initiative d'affirmer à ma place ce que je pouvais réussir ou pas.

Ne laissez personne décider pour vous si vos rêves sont réalisables ou non. Ce n'est pas parce que le projet d'une autre personne n'a pas abouti que vous subirez le même échec. Ce n'est pas non plus parce qu'un membre de votre famille ou une personne de votre entourage n'a pu réaliser ses ambitions que ce sera la même chose pour vous. Chacun a son propre destin.

On peut toujours demander conseil à ceux qu'on admire et s'inspirer d'eux, mais on n'a pas à suivre les traces de quiconque. Si vous souhaitez vous réinventer, rompre une mauvaise habitude, démarrer un nouveau projet, vivre une vie plus excitante, entourez-vous de gens qui vous encouragent et vous soutiennent. Et ne laissez jamais personne vous en décourager. Nous avons tous droit à nos rêves. Sur le terrain du succès, il y a une place pour chacun.

Ne vous inquiétez pas trop de ce que les autres
pensent de vous.
Les autres ne pensent pas à vous.
Ils sont trop occupés à penser à ce que
vous pourriez penser d'eux.

SOLIDIFIER LA CONFIANCE EN SOI

La confiance en soi est un état d'être qui s'acquiert, se cultive et se développe avec le temps. L'exercice de visualisation qui suit peut nous aider à solidifier notre confiance en nous-mêmes.

Assis dans une position stable et confortable, graduellement laissez aller vos pensées.

Respirez profondément pour vous détendre complètement.

Quand vous vous sentez prêt, visualisez votre avenir sous la forme d'un sentier d'environ trois mètres.

Et, quand vous verrez ce chemin dans votre imaginaire, visualisez qu'au bout de ce sentier se trouve le rêve auquel vous aspirez ou l'objectif que vous voulez voir se réaliser.

Au moment même où vous vous apprêtez à avancer sur votre sentier vers le but que vous souhaitez atteindre, brusquement, un obstacle se dresse devant vous et bloque l'accès à votre rêve.

La plupart des gens ont tendance à reculer devant un grand obstacle, mais vous êtes le maître d'œuvre de cette visualisation et vous allez transcender cette barrière. Allez-y ! Repoussez vos limites !

Faites appel à votre imagination et visualisez-vous en train de traverser l'obstacle, de le survoler ou de le contourner comme par magie.

Au début, pour affronter vos doutes et vos peurs, il est possible que vous deviez répéter cette visualisation, mais recommencez aussi souvent que nécessaire, jusqu'à ce que l'obstacle disparaisse, vous laissant ainsi le chemin complètement libre.

Une fois que vous êtes au bout du sentier, prenez le temps de ressentir au plus profond de vous-même la fierté d'avoir réussi à traverser vos peurs et à confronter cet obstacle.

Répétez cet exercice, une fois par jour, pendant vingt et un jours d'affilée et vous constaterez qu'il est vraiment efficace pour solidifier la confiance en soi.

Un alchimiste peut changer le plomb en or.
Et chacun de nous a le pouvoir de devenir
l'alchimiste de sa vie.
Vous pouvez, dès aujourd'hui, changer vos difficultés
en opportunités.
Voir les obstacles sur votre chemin comme
des défis pour vous réinventer.
Et considérer vos épreuves comme
des expériences de vie.

PATIENCE

Patience.

Un mot court.

Tout simple.

Mais si vite oublié.

Chaque jour, il me faut l'apprendre.

Et le réapprendre avec patience.

ÉTEINDRE LE FEU
DE L'IMPATIENCE

Même si j'enseigne le yoga et la méditation et que je pratique moi-même ces disciplines au quotidien depuis vingt-cinq ans, je suis bien loin d'être zen vingt-quatre heures sur vingt-quatre, sept jours sur sept. Et si j'ai fait quelques progrès en la matière, il me reste encore un long chemin à parcourir, surtout en ce qui concerne l'ascèse de la patience. L'impatience me guette toujours. J'en ai eu la preuve l'autre jour, alors que j'essayais d'installer une nouvelle application sur mon ordinateur portable.

Je me revois assise ce matin-là sur le bord de ma chaise, les coudes appuyés sur ma table de travail, essayant de déchiffrer d'un œil des instructions en ligne et de suivre de l'autre ce qui se passe sur l'écran de mon portable. Depuis une demi-heure déjà, j'appuie sur des touches et je clique avec la souris de mon portable… Je tente de rester calme… Mais mon esprit me rappelle que je suis en retard, que je dois remettre un document aujourd'hui même !

Le temps passe. Et passe. Et je n'arrive toujours pas à faire cette mise à jour. Quarante minutes plus tard, alors que je redémarre mon ordinateur pour la cinquième fois, je me dis que ça y est ! J'attends quelques secondes pour que tous les programmes se mettent en place… Rien ! La nouvelle application ne fonctionne toujours pas. Je prends ma patience à deux mains pour recommencer l'opération du début, une autre fois. L'écran devient noir. Ma mâchoire se serre. J'attends. Toujours rien… L'icône n'apparaît pas sur l'écran. Du coup, je sens ma pression sanguine monter au plafond et mes mains se crisper…

Heureusement, grâce à ma discipline de la méditation, je me suis souvenue qu'il suffit de quelques respirations profondes pour éteindre le feu de l'impatience et pour ramener calmement mon esprit au moment présent.

Quel que soit notre mode d'impulsion, ce qui importe en premier lieu, c'est notre sincérité et notre volonté de changer notre comportement. Dès que nous prenons conscience de nos réactions habituelles, la transformation est possible. Nous avons tous la capacité de demeurer patients au milieu de toutes les situations de notre vie, mais nous devons nous exercer, encore et encore, avec de puissantes méthodes d'ancrage, comme la pratique de la respiration consciente. Chaque fois que l'on se sent frustré, irrité, impatient, il est important de se donner des outils comme la respiration pour s'aider à demeurer calme et centré.

Bien que cela puisse sembler trop simple, la prochaine fois que vous éprouverez un moment d'irritation ou de turbulence mentale, revenez à votre souffle. Respirer consciemment nous apprend à devenir le témoin attentif de nos réactions et de nos impulsions. Lorsqu'on s'accorde cette prise de distance, on découvre en soi quelque chose de beaucoup plus fort que les automatismes : c'est la pleine conscience.

Pendant que nous prêtons attention à notre respiration, peu à peu, notre expérience intérieure change. Notre esprit s'enracine dans le présent. Le mouvement de la pensée s'arrête. Et, soudain, l'essentiel est là. Au cœur même de la respiration, on découvre une belle et grande force intérieure : la patience.

Petite leçon de patience

Un disciple demande à son maître : « Combien de temps faut-il pour atteindre la sagesse ?

— Trente années, répond le maître.

— Si je triple mes efforts et ma vitesse d'apprentissage, pourrais-je y parvenir en dix ans ?

— Dans ton cas, j'ai bien peur qu'il te faille attendre quarante ans », conclut le sage.

Ce disciple me ressemble. Dans le passé, j'ai souhaité moi aussi pousser sur le temps pour qu'il avance. Maintes fois, j'ai voulu brûler les étapes. Pour arriver plus rapidement au but que je m'étais fixé, j'ai précipité des événements et bousculé des gens. Chemin faisant, je n'ai récolté que des conflits et de piètres résultats.

Contrairement à ce que l'on croit, être patient, ce n'est pas assumer un rôle de victime ni attendre les bras croisés que les choses se règlent d'elles-mêmes. Au contraire. La patience, c'est une boussole intérieure qui nous guide quand c'est le temps d'avancer, qui nous indique quand c'est le temps d'attendre, quand c'est le bon moment de faire une action, mais aussi quand c'est le temps de lâcher prise. Dans son sens le plus profond, la patience nous enseigne la non-fixation, l'acceptation du rythme naturel des choses de la vie.

Aujourd'hui, ce qui m'aide le plus dans ma pratique de la patience, c'est de me rappeler qu'il ne peut y avoir de véritable transformation dans la hâte et la précipitation. Et si l'on souhaite faire l'expérience d'un renouvellement durable et profond de notre être, la patience est capitale, car le temps, disent les sages, ne respecte pas ce qui se fait sans lui.

« La patience est la plus héroïque des vertus,
précisément parce qu'elle n'a pas la moindre
apparence d'héroïsme. »

Giacomo Leopardi

Exercice

FREINER L'IMPATIENCE

Sous l'effet du stress, un simple moment d'irritabilité ou de colère peut nous causer des problèmes à long terme. Nos émotions s'enflamment. Nous perdons patience, nous nous mettons à blâmer les autres et la vie pour tout ce qui nous arrive.

Le cas échéant, il faut prendre un temps d'arrêt, se débrancher momentanément du monde extérieur. Un des moyens d'y parvenir est de se servir de l'acronyme **STOP** :

S : STOP.

Arrête-toi.

T : TEMPS.

C'est le temps de prendre de longues et profondes respirations par le nez.

O : OBSERVE.

Observe une minute de silence pour ressentir ce qui se passe en toi.

P : POURSUIS.

Poursuis calmement ta journée.

Moments de patience

Le chemin de la patience est long, et souvent je suis tentée de faire des détours. L'autre jour, pour demeurer plus patiente au quotidien, j'ai transcrit quelques phrases tirées d'un carnet de méditation. Depuis, je relis souvent ces sages conseils qui me rappellent que chaque moment de ma journée est une formidable occasion pour développer ma patience.

Laisse parler tes interlocuteurs.

Ne coupe pas la parole à autrui.

Ne dis que l'essentiel.

Ne sois jamais pressée de briser le silence.

Ne provoque pas les événements.

Laisse les choses venir à toi.

Vis paisiblement le moment présent.

CODE DE SÉCURITÉ

Un rendez-vous tant attendu est annulé, un examen médical vous inquiète, un entretien d'embauche vous angoisse, une situation vous impatiente.

Voici un merveilleux petit exercice respiratoire à pratiquer en toutes circonstances.

Cette technique à trois chiffres est simple à retenir, comme un code de sécurité.

Inspirez par le nez pour un compte de 4.

Retenez le souffle en comptant jusqu'à 7.

Expirez lentement pour un compte de 8.

Répétez 8 fois.

Dès que le stress vous guette, rappelez-vous que votre code de sécurité est le 478.

Ne vous jugez pas

Pour qu'un changement soit réel, profond et durable, trois choses sont importantes. La première, c'est que notre désir de changer soit authentique. On doit vouloir ce changement pour être plus heureux et plus en paix avec soi-même et non simplement pour plaire à quelqu'un d'autre. La deuxième chose, c'est d'être prêt à fournir les efforts nécessaires pour se transformer et avoir le courage de poser des actions concrètes pour y arriver. Et, finalement, tout au long de ce processus de transformation, on doit faire preuve de patience envers soi-même. J'insiste sur ce dernier point, car, quand nous désirons modifier un comportement, une mauvaise habitude ou un trait de caractère qui nous déplaît, nous avons parfois tendance à nous montrer intransigeants et parfois même très durs envers nous-mêmes.

Si, par exemple, vous désirez changer une mauvaise habitude, prêtez attention à ce que vous dites de vous-même, et au ton avec lequel vous vous parlez mentalement. Si vous vous comparez constamment aux autres en vous rabaissant, il vous sera difficile d'avoir confiance en vous. Si vous vous critiquez tout le temps, il vous sera difficile de persévérer dans ce changement. Ainsi, si l'on se juge avec dureté, notre chemin de transformation sera pénible et douloureux. Car, le meilleur moyen de se changer intérieurement, physiquement, émotionnellement, c'est de faire preuve de bienveillance envers soi-même.

Plutôt que de condamner vos comportements, apprenez à les comprendre. Par exemple, quand vous dites une parole qui dépasse votre pensée, quand vous répondez précipitamment à quelqu'un de votre entourage, quand vous posez un geste brusque ou que vous pétez les plombs, prenez le temps de réfléchir à ces réactions. Interrogez-vous sur les mécanismes qui suscitent de tels comportements. Qu'est-ce qui se cache derrière ces comportements ? Est-ce un chagrin non exprimé ou une peur refoulée ? Est-ce un moyen de défense ? Une stratégie de fuite ?

Vous constaterez qu'avec le temps, plus vous apprendrez à vous connaître intérieurement et plus vous comprendrez comment sortir de ces vieux conditionnements qui vous nuisent et qui limitent votre évolution. Tout au long de votre processus de transformation, ne vous jugez pas. Prenez le temps d'entrer en relation d'amitié avec vous-même et vous serez étonné de constater à quel point il vous sera plus facile de vous réinventer.

INSPIREZ. EXPIREZ. RÉPÉTEZ.

« Respirez par le nez. » L'expression est vieille comme le monde. Même dans la Bible, on y fait référence : « Et Dieu créa l'homme à partir de la poussière de la terre, et souffla dans ses narines le souffle de la vie ; et l'homme devint une âme vivante » (Genèse 2:7). Pourquoi la respiration nasale est-elle si importante ?

Notre respiration est directement reliée à notre système nerveux. Si notre respiration est rapide, saccadée et inconsciente, notre esprit s'agite ; il devient anxieux et instable. Le simple fait de respirer par le nez permet de ralentir notre souffle. Un souffle lent et profond met un frein aux fluctuations incessantes de notre mental. On peut ainsi tranquilliser bon nombre d'émotions perturbatrices, dont l'anxiété, la colère, l'impatience et la peur.

Mais l'inverse est aussi vrai. Vous pouvez tout autant générer des émotions apaisantes comme la compassion, la bonté, la patience, la tolérance et la bienveillance. Le simple fait d'intégrer de courtes séances de respiration par le nez à votre quotidien est l'une des choses les plus importantes que vous puissiez faire pour votre santé. De plus, il n'y a rien de mystérieux ni de très compliqué quant à la technique.

Dans la journée, prenez plaisir à respirer par le nez durant quelques minutes. Ne remettez pas cette pratique à plus tard. Allez-y, commencez dès maintenant.

En guise de préparation, posez les mains sur votre ventre.

Le ventre se gonfle à l'inspiration et se dégonfle à l'expiration.

Le ressentez-vous ?

Maintenant, détendez-vous et, lorsque vous serez prêt, expulsez l'air de vos poumons, par le nez, en contractant l'abdomen.

Ce mouvement vide l'air stagnant des poumons et prépare l'organisme à recevoir une nouvelle inspiration.

Maintenant, fermez la bouche, inspirez lentement par le nez pendant trois ou quatre secondes, puis expirez par le nez à ce même rythme.

Faites cet exercice chaque jour et, peu à peu, vous découvrirez pourquoi, depuis la nuit des temps, on nous conseille de respirer par le nez.

Une paix intérieure

Pour que nous progressions, nos pas ne doivent être
ni trop pressés ni trop lents.

Pour que nous apprenions, nos opinions ne doivent être
ni trop rigides ni trop souples.

Pour être entendus, nos mots ne doivent être
ni trop précipités ni trop parsemés.

Pour que nous réussissions, nos actes ne doivent être
ni trop puissants ni trop délicats.

Pour que nous puissions méditer, notre corps ne doit être
ni trop tendu ni trop relâché.

Pour évoluer, notre cœur ne doit être ni trop méfiant
ni trop naïf.

C'est dans le juste milieu que se trouve la paix de l'esprit.

Il suffit parfois d'une respiration profonde
pour que tout s'apaise et rentre dans l'ordre.

LES SEMENCES DE LA PATIENCE

La patience, telle que je la comprends, est une forme de pleine conscience qui se cultive partout, y compris dans les petits gestes au quotidien. Vous pouvez, chaque jour, choisir une petite action et la faire plus lentement.

Par exemple, si vous épluchez un légume, focalisez-vous sur vos mains, la manière dont elles bougent, le poids du légume, sa couleur, cette sensation entre vos doigts. La première fois, vous réussirez peut-être à ralentir l'opération de quelques secondes. Puis, la fois suivante, vous ajouterez dix à vingt secondes de plus de patience et de pleine conscience.

Toutes les fois où vous regardez l'heure, servez-vous de ce réflexe pour vous rappeler de ralentir un peu votre respiration. Respirez lentement. Détendez votre visage, votre cou, vos épaules, vos mains, votre ventre, votre dos, vos jambes et vos pieds. Puis reprenez vos activités, calmement.

En allumant votre téléphone ou votre ordinateur, ou juste avant de naviguer sur les réseaux sociaux ou de vérifier vos courriels, prenez trois profondes respirations par le nez, ensuite appuyez sur le clavier.

Une fois par jour, quand vous marchez pour vous rendre à tel ou tel endroit, ralentissez le rythme de vos pas pendant deux ou trois minutes, puis reprenez votre vitesse de croisière.

En file d'attente ou dans un bouchon de circulation, laissez passer quelqu'un devant vous.

Évitez de couper la parole à quiconque. Cet exercice est particulièrement efficace pour cultiver une meilleure attention et une plus grande écoute des autres.

Exercer sa patience, c'est comme exercer un muscle : si on le fait un peu tous les jours, on progresse rapidement. Ainsi, dans la mesure du possible, ne faites qu'une seule chose à la fois et faites-la consciemment ; si vous mangez, mangez. Si vous buvez du thé, ne faites que déguster ce thé. Si vous jouez avec un enfant, soyez présent à cent pour cent. Et quand vous êtes seul, au lieu de saisir un magazine ou votre cellulaire pour vous divertir, fermez les yeux quelques minutes, juste pour ressentir le mouvement de votre souffle. Bref, soyez là où vous êtes et pas ailleurs.

Avec le temps, cela deviendra de plus en plus naturel pour vous d'être patient. Patient envers vous-même. Patient envers les autres. Patient envers le monde qui vous entoure. Et, avec la patience, vous saurez traverser les difficultés de votre vie tout en restant libre et centré à l'intérieur de vous-même.

LÂCHER PRISE

« Vos efforts ne feront jamais pousser l'herbe,
et pourtant, au printemps, elle poussera généreusement. »

Le Tao

Céder le passage

Je pourrais passer des heures à planifier l'horaire de ma semaine, à régler les rendez-vous de ma journée au quart de tour, à dresser soigneusement des listes de choses à faire pour ne rien oublier, à reconfirmer chaque engagement à mon agenda, à programmer le GPS de ma voiture, mais rien n'est jamais certain. À tout moment, sans préavis, la vie pourrait fort bien bousiller tous mes plans, m'interrompre au passage et perturber l'ordre de mon agenda. Je pourrais m'insurger, taper du pied, lutter de toutes mes forces contre la réalité, rien n'y changerait quoi que ce soit. Au final, je serais la seule personne qui en souffrirait.

Nous vivons sur une toute petite planète qui tourne sur elle-même et nous devons nous rappeler que nous ne sommes pas maîtres de cet univers. On peut exiger qu'il fasse beau durant les vacances, que le bruit à l'extérieur cesse lorsqu'on médite ou qu'on écoute la télévision, que le pont se libère de toute circulation à l'heure où on le traverse, que la file d'attente disparaisse parce qu'on est pressé, mais rien n'y fera. La vie est imprévisible. D'un instant à l'autre, un orage peut éclater au-dessus de nos têtes, la route peut être bloquée par un bouchon de circulation, un chantier de construction pourrait s'installer devant notre maison. À d'autres moments, sans préavis, notre train sera retardé, un rendez-vous tant attendu sera annulé, quelqu'un ne retournera pas notre appel ou ne répondra pas à nos courriels…

Ce qui rend notre existence difficile, ce n'est pas ce qui nous arrive ou ce qui ne nous arrive pas, ce sont nos réactions dans telle ou telle situation. On doit apprendre à laisser les choses être ce qu'elles sont, sans toujours tenter de tout contrôler. La réalité est imprévisible, elle change souvent d'idée. Alors, devant l'inévitable, mieux vaut lâcher prise, respirer un grand coup et céder le passage à la vie.

Liste de choses à faire

De nos jours, il semble que nous aimions faire des listes.

En voici une qui, par sa nature, favorise une plus grande tranquillité d'esprit.

Liste de choses à faire aujourd'hui

1. Laisser aller ce que je ne peux contrôler.

2. Être dans le moment présent.

3. Respirer lentement.

4. Voyager légèrement
(n'accumuler ni regret ni ressentiment).

5. Cultiver le sens de l'humour.

L'ÉQUATION QUI CHANGE TOUT

L'autre jour, j'ai entendu une personne dire à une autre : « J'ai tellement hâte d'avoir réglé tous mes problèmes, je vais enfin pouvoir vivre en paix ! » Aujourd'hui, une grande partie de nos problèmes provient justement du fait que l'on croit que la vie devrait être prévisible et s'écouler comme un long fleuve tranquille.

De nos jours, en raison de l'accélération massive du rythme de vie, notre horaire est réglé au quart de tour, nos agendas sont planifiés des semaines à l'avance et nous dressons des listes sur tout et pour toutes sortes de choses. Sans nous en rendre compte, nous sommes devenus des accros de la planification à court et à long termes, et nous insistons pour que la vie réponde exactement à nos besoins, à nos attentes et à nos exigences, au moment même où nous le souhaitons.

L'un des enseignements qui m'ont été les plus utiles pour affronter les petits irritants du quotidien est celui de voir la vie comme une équation mathématique : dans une seule journée, dans environ 70 % des cas, vous pouvez vous attendre à ce que les choses se déroulent bien, ou à peu près comme vous l'aviez prévu. Mais sachez aussi que 30 % de votre journée sera constitué de petits pépins et de « surprises » de toutes sortes.

La prochaine fois que vous buterez contre un obstacle, dites-vous que vous êtes dans le 30 % de votre journée et que cela ne durera pas toujours. En attendant, respirez profondément en vous disant simplement qu'il vous reste 70 % des chances que, malgré tout, le reste de votre journée se déroule très bien.

La souplesse de l'esprit

Ce matin-là, j'assistais à une réunion de production pour discuter d'un nouveau concept d'émission de télévision. J'avais passé la journée précédente à me préparer pour cette rencontre. J'avais une idée bien arrêtée de ce que nous devions faire pour mettre le concept sur pied. Comme moi, les autres membres de l'équipe s'étaient préparés et chacun avait une proposition à soumettre. À un certain moment, j'ai senti que mon idée ne serait pas retenue. Brusquement, mon ego s'est senti offusqué. Je l'entendais me conseiller de reprendre la parole, d'exposer de nouveau mes idées et d'insister pour qu'elles soient acceptées par l'équipe. J'ai écouté mon ego.

Voilà précisément ce qu'il ne faut pas faire. Ce jour-là, mon entêtement à vouloir imposer mes idées ne fit que creuser le fossé entre les autres et moi-même. Après deux longues heures de discussion durant lesquelles on n'a fait que répéter, de part et d'autre, les mêmes arguments, la réunion s'est terminée en queue de poisson. Le soir, en rentrant à la maison, je me suis questionnée : pourquoi avais-je tant besoin d'avoir raison ? Bien qu'il soit important de bien se préparer pour une réunion et d'exposer clairement ses idées, l'opinion des autres n'était-elle pas aussi valable que la mienne ? Si certaines personnes ne partagent pas ma perception des choses, est-ce vraiment la fin du monde ? Si j'assouplissais un peu mon esprit, mis à part mon ego, qu'aurais-je à perdre ?

Rien. Cette réponse était un choc d'éveil! Je n'avais rien à perdre! Au contraire, j'avais tout à gagner. Dès le lendemain matin, j'ai téléphoné à chaque membre de l'équipe afin de m'excuser pour la rigidité avec laquelle j'avais abordé le projet. D'emblée, l'énergie créatrice de notre équipe s'est remise à circuler librement. Le projet fut un réel succès sur le plan professionnel, mais aussi, et surtout, parce qu'il nous a permis de souder des liens d'amitié qui durent encore aujourd'hui. Et, sur le plan personnel, cette leçon de lâcher-prise allait me servir pour des années à venir.

Exercice

ANCRAGE DANS LE MOMENT PRÉSENT

Si la respiration ne fait pas disparaître tous nos problèmes et nos soucis, elle nous apprend toutefois quelque chose de très important : comment laisser aller ce qui n'a plus raison d'être et comment laisser venir ce qui doit être.

Et entre ces deux leçons inestimables, elle nous sert aussi d'ancrage pour vivre le moment présent. À chaque instant, sous votre nez, se trouve un merveilleux outil pour vivre le moment présent. À vous maintenant de le découvrir !

Installez-vous confortablement.

Prenez conscience du souffle qui entre et sort par vos narines.

Ressentez intérieurement son va-et-vient dans l'abdomen et dans la profondeur du ventre.

Observez attentivement vos expirations.

L'acte d'expirer, c'est laisser partir le souffle.

Chaque fois que vous expirez, vous apprenez à relâcher votre emprise sur ce qui a été.

Expirer, au sens plus profond, c'est faire la paix avec le passé.

Quand vous sentez que vous vous agrippez à quelqu'un ou à quelque chose, concentrez-vous sur vos expirations.

Avec curiosité, observez maintenant vos inspirations.

Inspirer, c'est laisser entrer un nouveau souffle en vous.

L'acte d'inspirer, au sens plus profond, représente l'ouverture.

L'ouverture à ce qui est, à l'instant même où l'on inspire, et l'ouverture à la transformation.

Pour vous réinventer, concentrez-vous sur vos inspirations.

Jour après jour, instant après instant, chacune de vos respirations est une expérience sensorielle qui se déroule dans l'ici et le maintenant de votre vie.

Votre souffle n'est jamais au passé.

Jamais il n'est au futur.

En cela, votre respiration est votre plus grand professeur.

RÉFLEXION SUR L'EGO

L'ego est capricieux.
Tantôt, il veut ceci !
Tantôt, il ne veut plus cela !
Le réel contentement, il ne le connaît pas.

L'ego se croit expert en tout.
Il tient à disséquer, à vérifier, à contre-vérifier les choses
et l'opinion des autres.
L'humilité lui fait défaut.

L'ego n'aime pas le changement.
Il préfère rester dans ses habitudes,
caché derrière un mur ou une fausse barrière de sécurité.
Le courage lui manque.

L'ego est de nature nerveuse, instable.
Le moindre délai et la plus petite contrariété l'irritent,
le déstabilisent.
Il ne connaît ni la patience ni la tolérance.

L'ego doute beaucoup.
Très souvent, il complique les choses.
Et se méfie d'autrui. Il se méfie de tout.
La sagesse lui est étrangère.

Si on laisse son ego sans surveillance,
il peut facilement ruiner un moment, une journée,
ruiner une vie.

Dépouillement

Durant de nombreuses années, si l'on voulait littéralement me faire monter sur mes grands chevaux, on n'avait qu'à me dire de « lâcher prise ». Cela avait le même effet sur moi que de dire à quelqu'un qui est au bord du précipice de se détendre. À mes yeux, cela signifiait que j'acceptais une défaite, un abandon de mes désirs, de mes rêves et de mes ambitions. Toute cette confusion gardait mon esprit figé dans une énorme résistance, ce qui explique pourquoi il m'était difficile, voire impossible, d'oser penser à lâcher prise. Puis, un jour, les choses ont commencé à changer.

Alors que je participais à une retraite de méditation silencieuse de dix jours, l'instructeur nous répétait sans cesse de « lâcher prise ». Parce que je méditais de longues heures d'affilée, je pouvais maintenant mieux saisir la profondeur de cette fameuse expression. Lâcher prise ne signifiait pas baisser les bras ni nier ce qui se passait en moi. Cela voulait dire me dépouiller volontairement de mes attentes, de mes préférences et, surtout, de mes nombreuses exigences envers la vie.

Plus précisément, ce dépouillement auquel m'invitait l'instructeur, c'était de ne pas m'agripper à mes pensées, de ne pas réfléchir activement à mes problèmes, de ne pas m'accrocher à une sensation ou à une douleur dans mon corps, de ne pas me cramponner à mes émotions.

Ouf! Je pouvais enfin déposer ce lourd fardeau sans sentir que je démissionnais ou que je baissais les bras. Au contraire. À ma grande surprise, lâcher prise était totalement à l'opposé de la résignation. En fait, c'était une «action» de nature différente. Lâcher prise, ce n'est pas «tout lâcher», c'est cesser de nous agripper à ce qui, depuis longtemps, nous limite, nous affaiblit, nous diminue.

Aujourd'hui, grâce à cette retraite, j'ai finalement compris que, lâcher prise, c'est laisser partir tout ce qui nous fait souffrir intérieurement.

Le juste milieu

Par le passé, il m'est arrivé de m'obstiner à vouloir que la vie réponde à mes attentes et à mes demandes. Pour justifier mon entêtement, je disais que j'étais persévérante. Mais je me trompais, car « persister » et « persévérer » sont deux verbes qui n'ont pas tout à fait la même signification.

La persistance, très souvent, est une sorte d'obsession où l'esprit reste accroché à une idée fixe. Persister, c'est vouloir arriver à ses fins coûte que coûte, sans tenir compte ni de ses besoins, ni de sa santé, ni du temps perdu… Autrement dit, c'est une forme de performance à outrance, une idée fixe qui ne laisse aucun repos au cœur et à l'esprit.

Voici quelques exemples de persistance au quotidien : s'obstiner à discuter avec quelqu'un pour avoir le dernier mot ; prolonger une joute de Monopoly jusqu'à deux heures du matin juste pour en sortir gagnant ; terminer un livre de six cents pages qui nous ennuie ; refuser de mettre fin à un projet même si on sait d'avance qu'il est voué à l'échec.

La persévérance, elle, ne vient pas de l'ego ; c'est plutôt un élan du cœur qui vise l'excellence dans le respect de soi et des autres. Une personne persévérante sait intuitivement quand c'est le temps d'agir et quand il faut lâcher prise. Être persévérant, c'est savoir mener des actions concrètes pour atteindre un but tout en sachant terminer sa journée le cœur en paix.

Devant les défis et les difficultés, persévérer, c'est conserver la flamme de l'espoir afin de faire, chaque jour, un pas de plus vers la réalisation d'un rêve. Persévérer, c'est continuer d'avancer, malgré la noirceur et malgré la peur. La persévérance, à la différence de la persistance, est faite de sagesse, de courage et de compassion.

Ceci n'est pas une baguette magique,
mais simplement une petite phrase d'une grande sagesse
à répéter en fin de journée :
« Pour aujourd'hui, ça suffit ! »

Le rythme naturel des choses

Le grand sage indien Ramana Maharshi disait : « Tout ce qui doit arriver arrivera, quels que soient vos efforts pour l'éviter ; tout ce qui ne doit pas arriver n'arrivera pas, quels que soient vos efforts pour l'obtenir. »

Il m'en aura fallu du temps pour faire la paix avec cette vérité, car je n'avais pas compris qu'elle m'enseignait simplement à suivre le rythme naturel des choses de la vie. Depuis, chaque fois que je rencontre de la résistance, je repense à cet enseignement et je m'efforce de lâcher prise. Le lâcher-prise est une qualité qui, comme la patience, nous apporte la paix de l'esprit.

À travers une transformation profonde, maintes fois nous serons invités à lâcher prise. Lâcher prise, c'est relâcher notre emprise sur les choses pour leur permettre d'apparaître telles qu'elles sont et non pas telles que nous voudrions qu'elles soient. Lorsqu'on accepte de le faire, on se retrouve en présence d'une force de vie incroyable. Cette force s'exprime par l'ouverture de notre esprit.

Lorsque l'esprit s'ouvre, on réalise qu'on porte en soi tout ce dont on a besoin. Nous portons les réponses à nos questions et les solutions à nos problèmes. J'ai souvent eu l'occasion de constater la véracité de cette affirmation. En faisant la paix avec le moment présent, tel qu'il se manifeste, nous découvrons les cadeaux que la vie a à nous offrir.

Aujourd'hui, ne précipitez rien. Ne forcez pas la main du destin. Le bonheur, rappelez-vous, n'est pas un état particulier, mais une décision d'être, d'instant en instant, dans le plein consentement de ce qui est.

Pour le moment, ne forcez rien.
Accordez-vous au rythme de la vie.

Quelques signes selon lesquels il faut lâcher prise

Lorsqu'on se sent envahi par les mêmes pensées, obsédé par une idée, une personne ou une situation, ou qu'on répète en boucle la même histoire, le temps est venu de prendre du recul.

Lorsqu'on lutte en permanence contre la réalité et qu'on perd, petit à petit, le contrôle de sa vie, c'est le moment de lâcher prise.

Lorsqu'on doit se battre corps et âme pour retenir quelque chose ou quelqu'un, le message est clair : il faut lâcher prise.

Lorsqu'on vit au quotidien en mode combat, qu'on nage constamment à contre-courant, on doit lâcher prise.

Si l'on ne cesse d'accumuler des tensions, de rencontrer de la résistance, et que l'on se retrouve au cœur de conflits perpétuels, le temps est venu de lâcher prise. Lorsqu'on est épuisé, qu'on a tout essayé, tout donné, et que, malgré cela, la situation ne s'améliore pas ou s'aggrave, il faut lâcher prise.

Pour parvenir à lâcher prise, il faut s'exercer à laisser aller de petites choses au quotidien. Se libérer progressivement de ses attentes, de ses jugements, de ses préférences en disant : « Pour aujourd'hui, je choisis de lâcher prise. »

Il ne faut pas voir dans le lâcher-prise une forme de résignation, mais plutôt un moyen de cultiver la sérénité et la paix de l'esprit. Lâcher prise n'est pas un geste banal ni radical, mais une étape cruciale dans tout processus de transformation intérieure.

PETIT EXERCICE POUR LÂCHER PRISE

Appuyez sur « pause ».

Prenez dès maintenant une grande inspiration

et retenez-la pendant deux ou trois secondes.

Prenez encore un peu d'air, sans expirer.

Toujours sans expirer, prenez encore un peu d'air.

Retenez votre souffle aussi longtemps que possible.

Puis, laissez-le partir.

Appréciez ce que signifie lâcher prise.

Et acceptez de laisser partir tout ce qui bloque le flux
de votre vie.

« La souplesse triomphe toujours de la dureté. »

Lao-Tseu

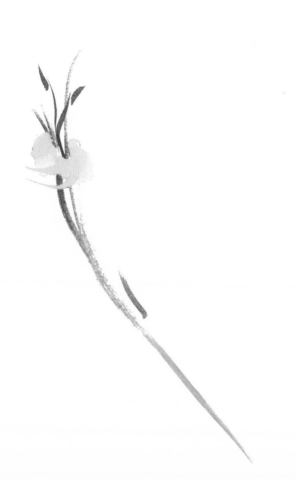

PRÉSENCE

« Dès l'instant où vous observez que
vous n'êtes plus présent, vous l'êtes. »

Eckhart Tolle

OÙ ÊTES-VOUS ?

On croit que le futur sera meilleur.

On se dit que la rencontre déterminante arrivera un jour, que la grande opportunité viendra avec le temps, que la chance nous sourira demain.

Or, il ne faut jamais sous-estimer aujourd'hui.

Votre moment de chance est peut-être arrivé,

ici et maintenant.

Il est peut-être là, en cet instant même.

Vous, où êtes-vous ?

LA VIE N'ATTEND PAS

En cette fin de journée, j'étais assise sur la terrasse, dans la cour arrière, à contempler le soleil qui glissait doucement vers l'horizon. Les oiseaux, perchés sur les branches du vieil olivier, s'étaient assemblés pour voir la beauté du jour céder sa place à la douceur du soir. Le temps semblait suspendu. Le soleil finissait sa descente. Je contemplais l'horizon, et sa lumière semblait provenir à la fois de la terre et du ciel. Il y avait longtemps que je n'avais vu un ciel si beau. Vite! Il fallait que je l'immortalise!

Je me suis précipitée dans la maison pour prendre mon appareil photo. Excitée à l'idée de partager cette photo, je suis revenue vite dans le jardin. J'ai placé l'appareil devant mes yeux, mais, juste au moment où j'allais appuyer sur le déclencheur, le beau tableau s'est dissous. La bande de couleur est disparue. Le soleil aussi. Le temps a tout effacé.

Ce soir-là, j'ai appris toute une leçon: la vie n'attend pas. Si je ne suis pas présente à l'instant qui est, je manque l'essentiel. Je manque ma vie.

Demain, après-demain...

De nos jours, on entend souvent dire qu'on aimerait ralentir pour profiter davantage du moment présent, qu'on aimerait apprendre à méditer et à vivre en pleine conscience. Mais, lorsque vient le moment de laisser aller nos habitudes d'affairement et nos nombreux divertissements, nous résistons. L'histoire qui suit en est une belle illustration.

Un homme d'affaires fortuné prit rendez-vous avec un moine pour lui demander conseil. Le visiteur raconta au sage homme qu'il était marié, père de trois beaux enfants, que sa santé était bonne, que la vie lui avait donné de bons amis et qu'il était prospère, mais que, malgré tout cela, jamais il n'arrivait à être satisfait, à être heureux.

« Je suis toujours inquiet et anxieux. J'ai l'impression de payer pour des vies antérieures et j'ai peur de ce que le futur me réserve. Je vous en supplie, aidez-moi. J'ai consulté des tas de gens, j'ai cherché un remède partout, mais personne n'a pu m'aider. Que dois-je faire pour connaître le bonheur ? »

Le vieux maître lui sourit calmement et lui dit : « Je vais t'apprendre le mantra du bonheur. Tu n'as qu'à le répéter dès maintenant et plusieurs fois par jour. Voilà, c'est : "Moment présent, moment parfait." »

L'homme aussitôt répliqua : « Je le ferai dès que possible. Mais auparavant, je dois retourner au bureau pour terminer un travail. Ensuite, j'ai des courses à faire pour ma femme,

puis j'ai promis à un ami de l'aider. J'ai aussi quelques problèmes à régler à la maison. Dès que j'aurai terminé tout cela,
demain, ou après-demain, je le ferai, promis! »

On tient souvent le futur pour acquis. Et, jour après jour,
on remet à plus tard le temps de vivre. N'attendez plus à
demain. Aujourd'hui, profitez de chaque moment de votre
vie pour apprécier ce qui vous est donné, ici et maintenant,
dans le moment présent.

Ici et maintenant

Dans le tumulte, le bruit, la vitesse et la frénésie des activités quotidiennes, comment peut-on vivre sereinement le moment présent? Comment vivre ici et maintenant quand on doit travailler, faire des courses, payer des comptes, remplir ses engagements tout en étant sollicité par mille et une activités?

Beaucoup croient que vivre le moment présent, c'est rester figé sur place, la tête vide de pensées. C'est une idée fausse. Rappelez-vous un moment où vous étiez au bord de la mer, en ski ou dans la nature, et où vous vous sentiez vraiment «présent». À cet instant-là, vous étiez en plein accord avec votre monde intérieur, votre corps, vos émotions, vos pensées, et vous étiez aussi en harmonie avec le monde extérieur. Ces expériences n'avaient rien de mystique ou d'ésotérique. La richesse de ces moments était directement liée à votre état de présence.

La grande majorité de nos angoisses tient au fait que nous sommes constamment divisés physiquement et mentalement entre deux pensées. Entre deux actions. Notre corps est à un endroit; notre esprit est à un autre endroit. Pour rester présent dans la vie quotidienne, il faut s'exercer à être, corps et esprit, au même endroit, en même temps. Si nous sommes physiquement à la maison, soyons aussi mentalement à la maison. Si nous sommes au travail ou au cinéma, soyons entièrement à travailler ou à visionner un film.

Vivre le moment présent, c'est vivre ici et maintenant, en pleine conscience. Que nos tâches soient agréables, neutres ou désagréables, restons entièrement présents à ce que nous faisons.

Même lorsqu'on a mal ou qu'on a peur, faisons l'effort de ne pas se fuir. Faisons l'effort de demeurer présents. Nous avons tous la capacité de le faire. Nous avons tous le pouvoir de stabiliser notre attention pour vivre chaque instant de notre vie, au milieu de nos bonheurs comme de nos difficultés.

Il faut s'accorder du temps et de la patience, encore et toujours, pour vivre chaque jour, instant après instant, au présent. Mais, lorsqu'on réussit à le faire, on imprime une direction nouvelle à sa vie. Lorsqu'on s'établit dans l'ici et le maintenant, chaque expérience que l'on fait a un sens.

En vous exerçant à demeurer centré, stable et présent, vous découvrirez que vous avez dès maintenant la possibilité de vous réinventer.

Notre esprit est comme un velcro

À chaque instant, les pensées auxquelles nous accordons principalement notre attention créent notre réalité. J'en ai fait l'expérience le jour où j'ai demandé à un ami coiffeur de couper mes cheveux très courts. Ce jour-là, j'ai dû recevoir pas moins d'une dizaine de compliments sur ma nouvelle tête, et une critique, une seule.

Mon cerveau, lui, a choisi d'ignorer les compliments pour se concentrer uniquement sur la critique. Pire encore, mon esprit s'est mis à la répéter en boucle. La situation en elle-même n'était pas bien grave, mais elle m'a rappelé ce que dit le neuropsychologue Rick Hanson, auteur du livre *Le Cerveau de Bouddha* : notre cerveau est comme une bande velcro pour les expériences négatives, et il réagit comme le téflon aux expériences positives.

Ce « penchant négatif », souligne Hanson, fait en sorte que notre cerveau réagit plus intensément aux critiques et aux mauvaises nouvelles qu'aux bonnes nouvelles. Toutefois, affirme le scientifique, nous pouvons renverser la vapeur en faisant un effort conscient pour nous attarder plus longuement sur les moments positifs de notre quotidien, si petits soient-ils.

Depuis la lecture de ce livre, je tente de diriger délibérément mon attention vers quelque chose de positif, chaque jour et plusieurs fois par jour. Oui, cela paraît un peu simpliste, mais on réalise très vite que le fait de maintenir une pensée positive dans notre esprit durant deux ou trois minutes entières exige des efforts. Mais, ça vaut le coup !

Un simple déplacement de notre attention, quelques minutes par jour, exerce une grande influence sur le reste de notre journée. Avec le temps et la pratique, notre humeur s'améliore, notre santé est meilleure et nous devenons plus résistants à la critique et au stress quotidien.

« Nous faisons un grand pas vers la reconquête
de notre vie quand nous réalisons que, quel que soit leur
contenu, bon, mauvais, voire hideux, nous n'avons pas
à nous identifier à nos pensées. »

Jon Kabat-Zinn

CES VOIX DANS NOTRE TÊTE

Chaque jour, plusieurs voix cohabitent dans ma tête : une voix qui me questionne, une voix qui me répond, une voix qui me condamne, une voix qui me donne des ordres, une voix qui argumente, une voix qui me compare, une voix qui a peur, une voix qui me culpabilise, une voix qui me rassure. En tout temps, en tout lieu, ces voix voyagent avec moi. Laquelle devrais-je écouter ? Aucune, répond mon cœur.

« Nous ne pouvons empêcher la petite voix qui est dans notre tête de nous raconter des histoires, mais nous pouvons la prendre sur le fait. Nous pouvons choisir la façon dont nous réagissons à ces histoires : en laissant les plus utiles d'entre elles nous guider et en laissant les moins utiles aller et venir comme ces feuilles mortes emportées par le vent d'automne », dit le Dr Russ Harris, psychothérapeute en gestion du stress.

Aucune de ces voix dans notre tête n'est celle de notre véritable nature. Toutes ces voix ne sont que du « bavardage » mental, des fluctuations de neurones qui surgissent à partir de vieux conditionnements. Notre essence profonde, elle, n'est pas une voix, mais une conscience, un état d'être. La clé pour se transformer, c'est d'apprendre à faire la distinction entre ces voix dans notre tête et celle de notre véritable nature. Devenir conscients qu'il y a, en nous, une voix qui émerge d'une source profonde de calme, de paix et de sérénité, nous aide à nous libérer des propos négatifs du mental.

Par la pratique d'une écoute plus profonde, nous entendons notre véritable voix, celle du cœur, celle qui nous guide sur le chemin pour nous réinventer.

Voir la vie autrement

Saviez-vous que le cerveau humain produit de 65 000 à 70 000 pensées par jour? C'est étonnant! Mais, ce qui est encore plus étonnant, c'est que 90 % de ces pensées sont récurrentes. Autrement dit, chaque jour de notre vie, ou presque, notre esprit répète en boucle sensiblement les mêmes idées, les mêmes opinions, les mêmes jugements, les mêmes peurs qu'hier, avant-hier ou le mois dernier, sans s'en lasser.

Voilà donc pourquoi on se retrouve constamment dans les mêmes situations et devant les mêmes problèmes! Cela dit, rien n'est perdu, puisque des études en neurosciences ont prouvé que le cerveau adulte est malléable et que pour créer de nouvelles connexions, il s'agit d'entraîner notre esprit à voir la réalité sous un autre angle. Comment s'y prendre? Le maître Yoda, personnage fictif de l'univers de Star Wars, connaissait la réponse quand il disait: « C'est ton attention qui détermine ta réalité. »

Votre attention sélectionne, supervise et décide sur qui et sur quoi votre cerveau doit se concentrer. Et votre attention fonctionne de la même manière qu'un muscle. Pour la renforcer, il faut s'en servir. Et c'est plus simple qu'on ne le pense.

Ainsi, pour changer votre réalité, apprenez à diriger votre attention quotidiennement vers une nouvelle vision des choses et en vous posant ces questions : « Comment pourrais-je voir cette situation autrement ? » « Comment puis-je voir cette personne différemment ? » Ce questionnement aura pour effet de diriger votre attention sur d'autres perspectives, d'autres solutions, d'autres horizons.

Pour voir la vie sous un autre angle, il vous suffit donc de prêter attention au moment présent au monde qui vous entoure. Cet effet de concentration modifiera peu à peu la structure neurologique de votre cerveau. Vous le libérez ainsi progressivement des pensées répétitives tout en stimulant davantage son ouverture et sa créativité. Et, en devenant maître de votre attention, vous partez chaque jour à la rencontre d'un monde tout neuf ! Essayez, vous verrez …

LE TRI DE NOS PENSÉES

En général, nous sommes si occupés à remplir nos engagements de la journée que nous ne nous rendons pas compte de la quantité phénoménale de pensées qui voyagent dans notre tête. Tels des passagers clandestins, chaque jour, des milliers et des milliers de pensées traversent, par couches successives, les frontières de notre esprit. En fait, on ne sait ni d'où elles viennent ni quand elles repartiront. Alors, que faire quand notre tête est envahie de ces pensées nomades et sans papiers ?

Souvent, il suffit de laisser ces pensées défiler librement dans votre tête. Rien ne sert de les repousser. Accueillez-les, l'une après l'autre, comme des invitées. Ce ne sont que des pensées. Si vous les laissez libres, comme s'il s'agissait de passagers qui voyagent, elles défileront sans laisser de traces. Après leur passage, l'esprit demeure vaste et paisible.

Mais, que faire lorsque ces pensées deviennent envahissantes ou obsédantes ? Bien que nombre d'entre elles soient neutres, il importe d'agir avant qu'une pensée négative prenne le contrôle de notre esprit. Dans ce cas, il faut employer une seconde méthode, plus proactive, appelée « triage ».

L'idée consiste à trier mentalement et verbalement les pensées néfastes en leur apposant le mot « rejeter ». Dès qu'une telle pensée est repérée par la conscience, on donne immédiatement l'ordre au cerveau de s'en débarrasser. Comme quand on fait le tri dans les dossiers d'un ordinateur et qu'on en met certains dans la corbeille, il suffit de dire mentalement au cerveau de « rejeter » cette pensée. Inversement, dès qu'une pensée constructive traverse notre esprit, nous donnons l'ordre à notre cerveau de l'« accepter ». Ainsi, cette pensée positive sera retenue.

Avec le temps et l'entraînement, on arrive à faire la gestion et le tri des pensées. Progressivement, les idées négatives sont remplacées par des pensées qui participent au mieux-être. Et c'est ainsi qu'on arrive, un jour, à se réinventer. Alors, même s'il est virtuellement impossible de savoir quelle sera votre prochaine pensée, la bonne nouvelle, c'est que vous pouvez en faire la gestion dans votre esprit. N'attendez plus ! Commencez dès aujourd'hui à faire le tri dans vos pensées.

Le problème, ce ne sont pas nos pensées.

Le problème, c'est que nous avons tendance à croire *toutes* nos pensées !

FAIRE LE VIDE
POUR REFAIRE LE PLEIN

De plus en plus, notre monde se numérise, le temps file à une allure virtuelle et notre cerveau fonctionne chaque jour à plein régime. Le matin, on allume l'ordinateur, on branche le portable, on navigue sur la Toile et, dans la milliseconde qui suit, des myriades d'informations défilent sous nos yeux. On blogue, on chatte, on étudie à distance, on magasine en ligne, on communique en cent quarante caractères, ou moins.

Pour toutes ces raisons et pour bien d'autres, notre concentration s'affaiblit, notre attention est divisée, notre système nerveux est épuisé. Autant le corps a besoin d'exercice pour être en pleine santé, autant le cerveau a besoin de repos pour bien fonctionner.

Pour préserver la santé de votre cerveau, réservez chaque jour deux périodes de quinze minutes pour vous débrancher complètement du flux de l'information et du bourdonnement incessant de vos neurones. Accordez-vous la permission de faire le vide au quotidien. Par exemple, vous pourriez déposer ce livre quelques secondes et prendre quelques respirations profondes. À un autre moment, vous pourriez choisir la récitation d'un mantra apaisant ou une pratique contemplative comme la méditation, l'écoute d'une musique qui vous détend.

À l'inverse, pour refaire le plein d'énergie, il faut parfois bouger en pratiquant une activité sportive. On peut aussi aller marcher dans un parc ou dans les bois.

Peu importe ce que vous choisirez pour prendre soin de votre cerveau, l'important est de vous rappeler qu'il faut faire le vide pour être en mesure de refaire le plein.

RENFORCER NOTRE ATTENTION

Quand l'esprit est encombré, angoissé, dépressif, ou qu'il roule à 180 kilomètres à l'heure, le secret est de s'exercer à « être » dans le moment présent, en commençant par de très courtes séances de méditation, plusieurs fois par jour.

Exercez-vous avec de petites choses toutes simples de la vie quotidienne en vous concentrant, à chaque inspiration, sur le mouvement ascendant et, à chaque expiration, sur le mouvement descendant de l'abdomen. Dites mentalement : « Soulevé, abaissé, soulevé, abaissé. » Faites cela pendant deux à trois minutes. Cette simple pratique ramène l'esprit au moment présent et peut servir de brève méditation durant la journée ou avant l'heure du coucher.

En marchant dans la nature, exercez-vous à observer toutes les tonalités d'une seule couleur à la fois. Que ce soit le vert, le blanc, le rouge, le jaune, le bleu, recherchez des éléments, des choses et des objets de cette couleur. Ensuite, contemplez le mouvement des nuages dans le ciel ou celui des feuilles dans les arbres en répétant doucement un mantra comme « ici et maintenant » une quinzaine de fois d'affilée.

Quand les exercices sont brefs, l'esprit ne se rebiffe pas et, au fil de la journée, ces moments de pleine conscience s'additionnent. Avec la pratique, vous arriverez rapidement à méditer cinq minutes d'affilée. Le lendemain, vous pourrez méditer six minutes, et ainsi de suite. Méditer n'est facile pour personne, mais il faut oser l'essayer. Et c'est d'ailleurs en prenant ce très beau risque qu'on découvre un fabuleux outil pour se réinventer. Commencez dès maintenant et un jour, très bientôt, vous arriverez à vous asseoir en méditation durant vingt, trente ou quarante minutes, sans effort.

MÉDITATION

« Nous déployons beaucoup d'efforts pour améliorer
les conditions extérieures de notre existence, mais en
fin de compte c'est toujours notre esprit qui fait l'expérience
du monde et le traduit sous forme de bien-être
ou de souffrance.

Si nous transformons notre façon de percevoir les choses,
nous transformons la qualité de notre vie.

Et ce changement résulte d'un entraînement
de l'esprit qu'on appelle "méditation". »

Matthieu Ricard

LA MÉDITATION DÉMYSTIFIÉE

Si vous demandez au hasard aux passants ce qu'est la méditation, certains diront que c'est une méthode pour combattre le stress ou pour devenir zen. D'autres, que c'est une technique mentale qui consiste à s'efforcer de ne penser à rien. D'autres encore vous répondront avec des images plus exotiques décrivant la méditation des moines bouddhistes ou des yogis assis par terre dans la position du lotus. Pour le moment, oubliez tout cela!

La méditation n'est pas une porte de sortie pour fuir son quotidien, ni une forme de relaxation pour rêvasser ou une technique pour dominer le mental en s'efforçant de rester calme. Le mot «méditation» appartient à la même famille que le mot «médicament», mais alors qu'un médicament est conçu pour prendre soin du corps, la méditation, elle, est conçue pour l'esprit.

Méditer nous aide à mieux comprendre le fonctionnement de notre esprit. En méditant, on observe que l'esprit agit comme une sorte de microscope à travers lequel on évalue le monde. Par exemple, si notre esprit est négatif, il ne verra que le mauvais côté des choses et des gens. S'il est méfiant, il doutera de tout. S'il est angoissé, il verra partout des dangers de toutes sortes. S'il est épuisé, il considérera la vie comme un fardeau.

Dans la vie d'aujourd'hui, tout va tellement vite que notre esprit doit constamment prévoir, analyser, réfléchir, apprendre et retenir une multitude de détails et d'informations. Du matin au soir, il est constamment stimulé, sollicité, préoccupé, débordé… Si un corps surmené a besoin de repos, un esprit fatigué a besoin, lui aussi, de se ressourcer.

En méditant, l'esprit revient tranquillement à sa véritable nature paisible, ouverte, attentive et bienveillante. Voilà une première bonne raison de méditer.

Méditer, c'est aussi prendre naturellement soin de la santé et du mieux-être de notre esprit. Voilà une seconde bonne raison de pratiquer la méditation au quotidien.

LA TRANSITION DE « FAIRE » À « ÊTRE »

Lorsque nous choisissons de sortir du marathon incessant des choses à faire pour être, juste là, au cœur de notre vie, un autre monde s'offre à nous. Vous pourriez en faire l'expérience dès maintenant. Il suffit de prendre un peu de temps pour réunir votre corps, votre souffle et votre esprit, ici et maintenant. Pour y parvenir, vous n'avez qu'à prêter attention, toute votre attention, à une seule chose : ce qui se passe à l'instant même.

Pour poursuivre cet exercice et pour ressentir tout de suite ce qu'est l'expérience d'habiter paisiblement le moment présent, essayez ceci :

Adoptez une position confortable, assis sur un coussin ou sur une chaise, les pieds posés sur le sol et les mains sur les cuisses. Prenez trois longues respirations par le nez pour vous détendre. Laissez vos pensées défiler librement dans votre tête. Respirez naturellement, moment après moment, et accueillez simplement le moment présent comme on accueille un ami.

Prêtez maintenant attention aux bruits environnants. Qu'il s'agisse de la pluie qui tombe, du rire d'un enfant, du chant d'un oiseau, des jappements d'un chien, du bruit d'un moteur ou d'un climatiseur, d'une porte qui claque, du vent, des voitures qui passent, des battements de votre cœur, ou de tout autre son, accueillez-les comme des amis. Accueillez aussi le silence avec la même équanimité, la même présence.

Maintenant, déplacez votre attention sur les sensations dans votre corps. Tout en conservant le dos droit, détendez le visage, la gorge, les épaules, le dos, le ventre et les jambes. Acceptez chaque sensation. Ressentez-vous l'air dans votre nez ? Dans votre gorge ? Dans votre poitrine ? Sentez-vous votre dos ? Vos jambes ? Vos pieds contre le sol ?

Ces questions ont pour but de maintenir l'attention de l'esprit et de développer la pleine conscience de ce qui se passe en vous et autour de vous. Laissez chaque réponse, chaque pensée, chaque sensation traverser votre esprit librement. Continuez ainsi, comme un témoin silencieux, à explorer et à observer l'instant présent aussi longtemps que vous le souhaitez.

Pour clore cet exercice, prenez la résolution de vivre chaque jour plus consciemment avec tous vos sens, avec tout votre être.

DE GOOGLE À OPRAH
AU DALAÏ-LAMA

Aujourd'hui, un peu partout sur la planète, on médite. Chaque jour, on médite dans des écoles, des hôpitaux, des lieux sacrés, des studios de yoga, et même dans des entreprises comme Google. La méditation s'adresse à tout le monde, même aux enfants et aux adolescents. Figures politiques, moines bouddhistes, célébrités hollywoodiennes, patrons, employés, étudiants, retraités... Des milliers et des milliers de personnes, comme vous et moi, méditent, seules ou en groupe.

Méditer, c'est simple. Vous pouvez le faire presque partout et en peu de temps. La méditation n'appartient à aucun groupe religieux ; elle n'exige ni croyances ni absence de croyances. De plus, de nombreuses études scientifiques confirment les bienfaits de la méditation pour la santé physique et mentale. Par exemple, méditer peut aider à gérer le stress, à soulager la douleur chronique, la dépression légère, le déficit de l'attention, l'insomnie, et à prévenir de nombreuses maladies des systèmes respiratoire, cardiaque et immunitaire. La méditation stabilise notre attention en libérant notre esprit des pensées envahissantes et des émotions déstabilisantes tout en nous donnant accès à un état de présence paisible et tranquillisé au quotidien.

Que vous disposiez de cinq ou de trente minutes, que vous soyez assis dans le métro ou au bureau, allongé sur le canapé à la maison, debout dans une salle d'attente ou en file à la banque, vous pouvez méditer. Il s'agit d'adopter une position confortable, de respirer calmement et d'être là, où vous êtes, avec ce qui est, en paix avec ce qui se présente à vous et qui se manifeste en vous, continuellement et sans jugement.

Cela dit, même si méditer n'est pas compliqué, cette pratique de l'attention pure et simple n'est pas facile à maîtriser. Ne rien faire, ne rien dire, ne rien demander, se contenter d'être là, dans le moment présent, c'est comme s'entraîner pour une discipline olympique, une discipline de l'esprit. Et, comme les athlètes le confirment, pour arriver à perfectionner un art ou un sport, il faut de la motivation, de la persévérance, et il faut s'y exercer chaque jour. Si vous le faites, vous réaliserez que les bienfaits de la méditation peuvent vous aider à vous réinventer en ouvrant les portes d'un monde vaste et merveilleux que vous portez déjà en vous!

Attendre à demain pour méditer,
c'est comme attendre à demain pour vivre
le moment présent.

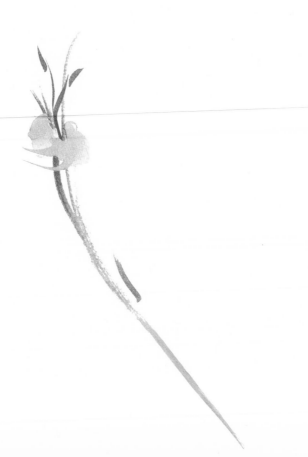

Cinq points pour méditer simplement, dès maintenant :

Adoptez une position confortable.
Respirez naturellement.
Prêtez attention au moment présent.
Quand votre esprit s'évade, ramenez-le patiemment
dans l'ici et le maintenant.
Pratiquez avec régularité et persévérez.

AURIEZ-VOUS UNE MINUTE ?

Des gens évoquent souvent le fait qu'ils sont trop occupés et qu'ils manquent de temps à consacrer à la méditation. Le cas échéant, je leur demande s'ils ont une minute. « Une minute ? » font-ils. Je réponds : « Oui. Soixante secondes. » Jusqu'à maintenant, je n'ai jamais rencontré personne qui n'ait pas soixante secondes à s'accorder pour apprendre à méditer. Voici donc ce que je leur enseigne. J'ai baptisé cette courte pratique la « minute de calme ».

La technique est vraiment très simple...

Assis confortablement, on commence par détendre les muscles des yeux, la langue, les épaules, les mains, les jambes.

On prend cinq longues, lentes et profondes respirations par le nez.

À chaque inspiration, on se concentre sur l'air frais qui pénètre par nos narines.

À chaque expiration, on laisse s'écouler le stress de nos narines.

On ne fait rien d'autre pendant trente secondes.

Après avoir respiré très lentement cinq fois d'affilée, on demeure immobile à ressentir le souffle dans la profondeur du ventre durant trente secondes.

Fin de l'exercice.

Demain, on sera peut-être tenté de s'exercer pendant deux minutes. Le surlendemain, trois minutes. Puis, cinq minutes. Et ainsi de suite...

Un grand professeur de méditation disait : « Trouvez le temps de méditer tous les jours, ne serait-ce que cinq minutes. Et si ce n'est pas possible, observez au moins une inspiration et une expiration avant de vous endormir, le soir venu. » Grâce à cette simple instruction, plus personne n'a d'excuses pour ne pas méditer !

Un cadeau à soi-même

Je me rappelle encore mon excitation la première fois que j'ai médité. Ce jour-là, je me suis installée, j'ai fermé les yeux et je me suis efforcée de ne pas bouger. J'attendais le calme, la paix, la sérénité, l'extase, l'éveil... mais je ne trouvais rien d'autre que le vacarme infernal de mes pensées dans ma tête. J'ai respiré par le nez et j'ai tenté de pratiquer d'autres techniques de relaxation pour m'aider, mais sans succès. J'ai ouvert les yeux et décidé de chercher quelqu'un qui pourrait m'enseigner à méditer.

Ma première leçon fut d'apprendre la différence entre « se relaxer » et « méditer ». La relaxation est une pratique qui sert à déloger les tensions physiques et mentales, et à induire un état de tranquillité. La méditation, bien qu'elle favorise souvent un état de calme, est une expérience différente. Méditer apporte quelque chose de plus qu'une simple détente corporelle : la méditation est une forme d'entraînement de l'esprit qui nous apprend à nous détacher progressivement du flot incessant de nos pensées pour vivre consciemment ce qui se passe uniquement ici et maintenant, au présent. Durant les séances, nous nous libérons des pensées reliées au passé et au futur. Nous nous détachons de nos jugements, de nos illusions, de nos peurs et de nos attentes. Instant après instant, souffle après souffle, nous apprenons à nous ouvrir à notre vie telle qu'elle se manifeste, ici et maintenant.

Ma deuxième leçon fut d'apprendre que ce n'est pas parce que nous décidons de méditer que nos pensées vont cesser automatiquement de défiler dans notre tête. Si notre objectif est d'arrêter de penser à tout jamais, nous faisons fausse route.

En méditation, on apprend à observer le défilement des pensées, des émotions et des sensations sans les repousser, sans s'y attacher. On examine calmement ce qui traverse l'esprit, comme quand on contemple le ciel. Les oiseaux, les avions, les nuages peuvent traverser le vaste ciel sans qu'il en soit perturbé ; il en est de même pour la nature véritable de l'esprit.

Durant les séances de méditation, pour ne pas être distrait par les fluctuations incessantes de ses pensées, il est recommandé de se servir d'un ancrage. L'attention au souffle est souvent le premier outil enseigné en méditation pour conserver l'esprit dans le moment présent, car on ne respire jamais au passé ni au futur, on ne peut respirer qu'au présent. La récitation d'un mantra ou l'écoute d'un son apaisant sont aussi de bons ancrages pour stabiliser l'esprit, pour qu'il demeure alerte et présent.

Pour nous, Occidentaux, qui sommes constamment à la recherche de temps pour en faire toujours plus, il faut savoir que la méditation n'est pas une activité de plus à inscrire sur une liste de choses à faire. La méditation ne doit pas être séparée du reste de notre vie, car, méditer, c'est être conscients de ce que nous pensons, de ce que nous faisons, de ce que nous ressentons, de ce que nous vivons.

Méditer, c'est un véritable cadeau qu'on offre à soi-même. Le cadeau de vivre en pleine conscience chaque instant de notre courte et précieuse vie sur cette terre.

MÉDITER EN TOUTE SIMPLICITÉ

Aujourd'hui, avec la cadence de l'information, la grande quantité de réclames publicitaires qui nous assaillent, le nombre sans cesse croissant de messages et de courriels auxquels nous devons répondre chaque jour, nos cerveaux sont surchargés. Jour après jour, avec les responsabilités qui s'additionnent et les tâches qui s'accumulent, nos vies sont si affairées qu'on se retrouve souvent sans ressources et à bout de souffle. Dans un sens très réel, méditer nous permet de reprendre notre souffle. Il suffit de réserver quelques minutes de son temps pour retrouver en soi-même un espace plus vaste et un état d'être plus calme.

Voici comment procéder pour méditer tout simplement dès maintenant :

Adoptez une position confortable et stable.

Assurez-vous que votre dos est droit, que vos épaules sont basses et que vos pieds sont posés à plat contre le sol.

Prenez quelques respirations par le nez, lentement, profondément, consciemment.

Sentez l'air frais qui entre par le nez, descend dans les poumons et gonfle doucement le ventre, puis qui ressort par le nez, un peu plus chaud.

Concentrez-vous sur le rythme naturel de votre souffle.

Ne soyez pas pressé. Observez-le calmement.

Pendant qu'on observe le mouvement naturel du souffle, l'esprit se libère progressivement des pensées, se détache peu à peu de l'affairement du monde et met fin aux idées obsédantes et aux fausses urgences.

Appréciez chaque souffle.

Calmement, observez le moment présent.

Appréciez chaque instant, sans jugement, sans attente.

Cette simple appréciation changera profondément votre état d'être.

Poursuivez cette observation aussi longtemps que vous le souhaitez ...

Concluez votre séance en formulant l'intention de méditer quelques minutes de plus demain, après-demain, et jour après jour.

« Méditer, c'est juste être.
Être qui vous êtes. Tel que vous êtes. Où vous êtes.
Rien de plus. Rien de moins.
Ne cherchez rien de grandiose, rien d'important.
Et la paix viendra.
Quand on médite, on n'attend rien, et parce
qu'on n'attend rien, on est en paix.
En paix avec soi-même.
En paix avec tout ce qui est, et tout ce qui n'est pas. »

Shunryu Suzuki

Une tempête dans un verre d'eau

Combien de fois me suis-je agitée, corps et âme, pour trouver la réponse à une question ? Combien de fois me suis-je étourdie en tournant en rond pour trouver une solution à un problème ? Mais tout ce branle-bas ne faisait qu'engendrer encore plus de confusion dans ma vie.

La méditation m'a appris que l'agitation mentale est le meilleur moyen d'interdire le changement. Ce n'est pas pour rien qu'on utilise la métaphore du verre d'eau pour en faire la preuve. Si on prend un verre d'eau claire, qu'on y jette une poignée de sable et qu'on agite le verre, l'eau devient trouble. Par contre, si on dépose le verre sur une table, le sable se dépose doucement au fond et l'eau redevient limpide. Il en va de même pour notre esprit.

En s'agitant devant un obstacle ou un problème, notre esprit se disperse. Il devient impulsif, réactif, et cela ne fait qu'aggraver la situation. Lorsque, au contraire, on se coupe de l'agitation extérieure, qu'on prend le temps de s'asseoir, de rester quelques instants immobile et en silence, peu à peu, comme dans le verre sur la table, l'esprit s'apaise et la situation s'éclaircit.

La prochaine fois que vous ferez face à un problème, pensez à la métaphore du verre d'eau : cessez de vous agiter, méditez en silence quelques instants pour laisser votre esprit se déposer en lui-même et vous verrez la solution apparaître clairement comme de l'eau de source.

Faire le ménage à l'intérieur

Journée de congé, arrivée du printemps, déménagement, toutes ces raisons sont bonnes pour faire un grand ménage ! On sort les produits nettoyants et les gants. Avec entrain, on met de l'ordre dans les pièces, on classe les papiers sur le bureau, on fait le tri de ses possessions dans les armoires et les placards. On jette, on recycle, on vend. Mais, trop souvent, on oublie de nettoyer l'essentiel : on oublie de faire le ménage à l'intérieur de soi.

Lorsque notre espace mental est encombré par la peur, la jalousie, la colère, la haine, nous vivons à l'étroit dans notre corps et dans notre tête. Comme pour le garage, la cave ou le grenier, un nettoyage en profondeur s'impose à l'intérieur de nous.

Pour que circule librement l'énergie dans notre vie, il faut dégager l'espace à l'intérieur de nous-mêmes. La méditation peut nous aider. Méditer, c'est ouvrir très grand les portes et les fenêtres de notre esprit. En méditant, le cerveau se nettoie des pensées parasites et des émotions perturbatrices. En se focalisant sur le moment présent, l'esprit redevient libre, vaste et lumineux. Alors, la prochaine fois que vous sortirez le balai ou le chiffon, rappelez-vous de donner un coup de plumeau à votre esprit en vous offrant quelques minutes de méditation !

Méditer, c'est apprendre que l'on peut
compter sur soi, en toute circonstance.

MÉDITATION EN MOUVEMENT

La méditation « marchée » — c'est ainsi que l'appellent les initiés — est une pratique simple et vraiment très agréable que l'on peut se faire à n'importe quel moment de la journée, à l'intérieur comme à l'extérieur. Elle est particulièrement bénéfique après une dure journée de travail ou un long trajet où l'on est resté assis durant de longues heures, ou quand on veut se détacher d'un esprit surchargé, discursif et agité.

Voici comment vous y exercer :

Choisissez un endroit sûr où vous pourrez faire des allées et venues, comme un couloir ou un sentier, et assurez-vous de pouvoir y faire de dix à trente pas.

Distribuez votre poids également sur vos deux jambes, laissez les bras détendus de chaque côté du corps.

Prenez cinq longues et profondes respirations par le nez pour vous centrer en vous-même tout en contemplant l'environnement.

Commencez à marcher lentement, plus lentement que d'habitude, en maintenant le dos droit et la tête haute pour que vous éprouviez un sentiment de noblesse et de dignité.

Prêtez attention à chaque pas, à chaque son, à chaque sensation.

Si votre esprit s'évade — cela arrive à tout le monde —, ramenez-le en dirigeant votre attention sur chacun de vos pas.

Arrivé au bout du chemin, arrêtez-vous pour prendre une profonde respiration. Puis, faites demi-tour et poursuivez votre méditation. C'est dans ces allers et retours que s'apaise votre esprit.

Chaque jour, vous pouvez méditer en marchant ou marcher en méditant. Ce n'est pas plus compliqué que cela ! Vous pouvez maintenant adopter cette merveilleuse pratique au quotidien, pendant dix minutes ou plus.

COURAGE

Posez-vous dès maintenant cette question :
« Qui serais-je et que ferais-je
si je n'écoutais pas mes peurs ? »

Reprendre notre pouvoir

Adolescente, je détestais le cours d'éducation physique. Le mercredi matin, quand nous devions nous rendre au gymnase, j'inventais toutes sortes d'excuses pour être dispensée des exercices. Une semaine, j'avais des crampes au ventre; la semaine suivante, un mal de tête ou une foulure à la cheville. Je dépensais du temps et une énergie folle à échafauder ces histoires pour m'absenter. Puis, peu à peu, en plus d'éviter des tâches et des activités que je n'aimais pas, je me suis mise à me dérober aux défis. Tous les défis, sans exception : ceux qui me faisaient douter le moindrement de moi, ceux où je risquais d'échouer, ceux qui me sortaient un peu de ma zone de confort, ceux qui me faisaient peur. Je vivais avec une peur grandissante, dans un monde qui rapetissait à vue d'œil.

Un matin, je me suis réveillée, j'avais 30 ans et quelques poussières, et j'ai compris que cette stratégie de fuite me coûtait très cher à maintenir, car chaque fois que je me défilais, j'affaiblissais mon caractère. Chaque fois qu'on me proposait un nouveau défi et que je cédais ma place à quelqu'un, je perdais chaque fois une formidable occasion d'apprendre et d'avancer.

J'ai compris alors que la véritable liberté dans la vie, c'est d'assumer pleinement nos responsabilités, de respecter nos engagements et de saisir les occasions placées sur notre chemin. C'est ainsi qu'on peut vivre librement, en relevant des défis de plus en plus grands.

Fermez les yeux un instant, prenez de longues respirations et demandez-vous à votre tour : « Y a-t-il une peur du passé qui continue de dicter ma conduite et de me limiter dans mes choix de vie, aujourd'hui ? »

NOS STRATÉGIES DE FUITE

Quand vient le temps de faire un changement important, la peur souvent nous empêche d'avancer. Et, face à la peur, chacun adopte une stratégie de fuite. Certains se lancent tête première dans le travail ou dans la pratique intensive d'un sport ou d'un loisir, d'autres restent figés de longues heures devant la télé ; certains grignotent toute la journée ou boivent de l'alcool, d'autres avalent des calmants ou consomment des substances plus fortes ; certains se réfugient dans le sexe, le jeu, ou dilapident leur argent dans le commerce en ligne, d'autres se perdent sur les réseaux sociaux…

Peu importe notre échappatoire, une chose est certaine : ces stratégies n'ont aucun effet sur la peur. En outre, la peur est encore plus grande quand nous atterrissons de nouveau dans la réalité. Mais pourquoi est-ce si difficile d'affronter la peur ? D'abord, parce qu'elle se cache et qu'on ne la reconnaît pas toujours. Elle met parfois le masque de la colère ou celui de la tristesse. Elle peut aussi se présenter sous d'autres formes : la jalousie, la rancune ou le jugement. La peur change très souvent de visage : un jour, on rencontre la peur de l'échec ; le lendemain, celle du succès ; le surlendemain, celle de l'amour ou du rejet… Autrement dit, la peur peut survenir n'importe quand et là où l'on s'y attend le moins. Alors, comment la surmonter ?

Si vous examiniez vos peurs de plus près, vous constateriez que 99 % d'entre elles ne sont pas réelles. Ce ne sont que de pures constructions de votre mental. Ces peurs n'existent nulle part ailleurs que dans votre imaginaire. Par conséquent, ces peurs préfabriquées tirent leur force du fait que vous croyez en elles et que vous ne les affrontez jamais directement.

La prochaine fois que vous ressentirez la peur, arrêtez-vous immédiatement et, avec courage, questionnez-vous : «Cette peur est-elle bien réelle ou est-ce que je la fabrique dans ma tête? Suis-je en danger, ici et maintenant? De quoi ai-je besoin pour me sentir mieux?»

Cet exercice est fascinant, car il vous place directement devant vos peurs. Ce faisant, vous vous rendrez compte que celles-ci se nourrissent uniquement de vos scénarios préfabriqués et que, pour survivre, elles ont besoin de votre confiance. Mais, dès que vous les affrontez, elles perdent la face et finissent par fuir sur la pointe des pieds!

Si l'arbre ne tombait pas ?

Je prends plaisir à lire et à raconter les fabuleuses aventures de Winnie l'ourson, car elles contiennent de belles leçons de vie. Dans ces histoires, Winnie est souvent accompagné de son fidèle ami, Porcinet, célèbre pour sa grande inquiétude devant les petits riens du quotidien.

Un jour, au beau milieu de l'après-midi, Winnie et Porcinet marchent côte à côte, dans la forêt, lorsque, soudain, le ciel s'assombrit et un coup de tonnerre retentit. Sans perdre son courage ni son bonheur naïf, Winnie lève les yeux au ciel et voit de gros nuages gris suspendus au-dessus de sa tête. Il sourit en se disant que ces nuages ressemblent à d'énormes points d'interrogation. Mais, à côté de lui, Porcinet se met à trembler de la tête aux pieds. Très inquiet, il hésite à avancer. Soudain, un second coup de tonnerre éclate.

« Au secours ! Au secours ! s'écrie Porcinet qui ne tient plus en place.

— Que se passe-t-il ? demande calmement Winnie.

— Nous allons mourir ! s'exclame son ami angoissé.

— Comment ça, nous allons mourir ?

— Regarde ce ciel d'orage, Winnie. Le tonnerre gronde, les vents se lèvent, la pluie va bientôt nous aveugler, un arbre tombera et nous mourrons écrasés…

— Et si l'arbre ne tombait pas ? »

Et si l'arbre ne tombait pas? J'adore cette question! Je l'ai écrite sur un Post-it posé en permanence sur mon bureau. Et souvent, devant les petites comme les grandes inquiétudes, ces mots réussissent à m'apaiser l'esprit.

À votre tour de vous demander cela aujourd'hui: «Et si l'arbre ne tombait pas?» Qu'est-ce que cela pourrait bien changer à votre façon d'aborder la journée et même d'aborder la vie?

S'inquiéter, c'est comme prier en boucle pour qu'arrive
ce que l'on *ne* veut *pas* qu'il arrive.

Il n'y a rien à craindre

Un jour que je promenais Paloma, mon fidèle caniche royal, près d'un grand parc, brusquement deux énormes bêtes noires se sont détachées d'un groupe de chiens pour se précipiter vers nous. J'ai figé sur place à l'idée que ces chiens nous attaquent. Fort heureusement, leur propriétaire a sifflé pour rappeler ses chiens et j'ai continué à marcher tranquillement avec Paloma. De retour à la maison, j'ai oublié cet incident qui n'avait duré que quelques secondes, mais à mon insu, une peur nouvelle s'est mise à germer dans le noir de ma conscience. Par la suite, sans même que je m'en rende compte, chaque fois que je promenais mon chien, mon cerveau était en mode alerte. Il scannait l'environnement et dès que je voyais quelqu'un se promener avec un gros chien, Paloma et moi changions de trottoir. J'ai dû faire ainsi des milliers de pas inutiles pour éviter un « danger » imaginaire.

Depuis que j'ai fait cette prise de conscience, au moment même où je sens que mon esprit commence à ruminer ou à fabriquer des histoires, un des moyens que j'utilise pour l'enraciner dans le présent, c'est de prononcer en silence quelques mantras comme : « Sois dans le moment présent. Respire lentement. Reste calme et centrée. » Le résultat m'étonne chaque fois que je récite ces quelques phrases. Après seulement quelques répétitions, mon esprit et mon corps sont reliés et pleinement connectés au moment présent.

Quand vous avez peur, la majorité du temps, c'est que vous êtes simplement égaré dans votre tête. Vous êtes perdu dans vos pensées entre deux mondes : celui du passé ou celui du futur. Mais il n'y a rien à craindre, vous n'êtes pas en danger, car ces mondes n'existent pas. Dès qu'on en prend conscience, ces « réalités » virtuelles peuvent être remplacées par celles du moment présent.

Alors, la prochaine fois que vous vous sentirez angoissé ou perdu entre hier et demain, sachez qu'il n'y a rien à craindre. Focalisez votre esprit. Ramenez-le au présent. Assurez-vous qu'il reste en lien avec votre souffle ou encore avec la nature qui vous entoure, ou donnez-lui un mantra à répéter et vous éprouverez rapidement un sentiment de force et de confiance.

« Le courage n'est pas l'absence de peur.
C'est plutôt et justement la volonté d'y faire face. »

Osho

LA PEUR NE PEUT PAS VOUS PROTÉGER

Dans ma vie, je me suis souvent servie de la peur comme d'un paravent, ou d'un bouclier, pour me protéger. J'avais même l'impression que si j'augmentais ma peur, elle me servirait d'armure contre le danger. Par exemple, je croyais qu'en ayant peur des chiens féroces, j'étais immunisée contre eux. En ayant peur de l'eau, je me croyais protégée de la noyade. Or, la peur, il faut s'en souvenir, n'empêchera jamais un événement d'arriver.

La peur de tomber malade ne peut pas nous protéger de la maladie.

La peur d'être seul ne peut pas nous protéger de la solitude.

La peur d'échouer ne peut pas nous protéger d'un échec.

La peur de mourir ne peut pas nous protéger de la mort.

En vérité, la peur n'a qu'un seul pouvoir…

nous empêcher de vivre.

Prendre un nouveau départ

Études, déménagement, mariage, naissance d'un enfant, changement d'orientation professionnelle, départ à la retraite… Au cours de notre existence, nous aurons tous à vivre des périodes de transition. Un changement de vie, qu'il provienne de notre volonté ou qu'il nous soit imposé par des circonstances extérieures, implique de clore un cycle. Le moment est venu de tourner la page et de prendre un nouveau départ. Mais, quand on s'engage dans une nouvelle voie, souvent la peur nous attend au tournant.

Au départ, il faut savoir qu'il est normal de se sentir mal à l'aise face à l'inconnu. L'unique manière de traverser cette période de transition, c'est de faire la paix avec l'inconfort qu'apporte le changement. Si nous acceptons d'être déstabilisés pendant quelque temps, l'apaisement viendra plus vite que si l'on résiste. Quand on résiste, l'ego prend les commandes de la situation et la peur s'empare de notre esprit.

Peu importe la peur — que ce soit la peur de regretter notre vie d'avant, de se tromper, d'être malheureux à la suite de tel ou tel changement, etc. —, elle perd de sa force dès qu'on a le courage de la nommer. En admettant ce qui nous effraie, nous découvrons que nos peurs ne sont que des pensées. Pour s'en libérer, plusieurs techniques sont efficaces, mais celle que je préfère, c'est de laisser « parler » mes peurs sur papier. Cette méthode toute simple est encore plus indispensable quand je m'apprête à faire un changement important dans ma vie.

Il s'agit d'abord de fermer les yeux et de prendre le temps de respirer. Grâce à la respiration, vous êtes moins enclin à vous perdre dans des scénarios qui alimentent la peur. Après quelques respirations profondes, rouvrez les yeux et notez librement, et durant de nombreuses minutes, ce qui vous trouble, vous angoisse, vous questionne, vous confronte et vous déstabilise.

Cet exercice vous aidera non seulement à faire le tri dans vos pensées, mais aussi à vous libérer physiquement de l'angoisse générée par ces pensées. Par la suite, en relisant vos mots, vous saurez faire la différence entre ce qui appartient à votre imaginaire et ce qui est réel. Ce faisant, vous accueillerez mieux le changement à venir.

Cette simple pratique d'écrire nos peurs permet de prendre du recul et de mieux voir en soi. Très souvent, on réalise que la peur du changement est en réalité une forme d'excitation qui cherche une voie pour s'exprimer. Quand on lui donne une feuille de papier, elle cède progressivement sa place à la confiance et à la joie libératrice de se réinventer !

La prochaine fois que vous devrez choisir
entre deux possibilités,
optez pour celle qui vous fait le plus peur :
c'est celle qui vous en apprendra le plus.

POUR EN FINIR AVEC LA PEUR

Choisissez un endroit calme, où vous vous sentez en sécurité. Prenez le temps de vous installer confortablement.

Tout en respirant lentement, réfléchissez à une situation qui est source d'angoisse dans votre vie, que ce soit dans un contexte professionnel, familial, amoureux ou autre, et laissez la situation prendre forme dans votre tête.

Maintenant, tentez de localiser l'endroit où la peur se loge en vous.

Où ressentez-vous cette angoisse, cette pression ?

Est-ce au niveau de la tête ? De la mâchoire ? Est-ce dans la gorge ? Les épaules ? Le dos ? La poitrine ? Est-ce dans le ventre ou dans les jambes ?

Tout en continuant de respirer calmement, détendez-vous davantage.

Pensez maintenant à l'acronyme du mot peur.

P : Pause. Ne fuyez pas : la peur suit ce qui la fuit.

E : Écoutez ce que vous vous racontez dans votre tête. Changez de scénario.

U : Unissez-vous à votre souffle pour détendre les régions du corps qui portent la peur.

R : Répétez les mots « moment présent » une dizaine de fois de suite en respirant lentement.

Continuez cet exercice aussi longtemps que vous en ressentez le besoin. Peu à peu, votre esprit se détachera de la source de votre angoisse et la région du corps qui porte la peur s'ouvrira. Vous sentirez alors la peur prendre son envol.

Si vous attendez de ne plus avoir peur
pour réaliser votre rêve,
vous risquez d'attendre toute votre vie !

ESPOIR

Transformation
en profondeur

Si difficile qu'il soit de l'admettre, toute épreuve a sa raison d'être. Dans notre vie, les périodes de crise peuvent être des outils de transformation profonde, car c'est souvent après avoir traversé une épreuve qu'on décide de changer de vie.

Dans mon cas, ce fut après avoir traversé la période la plus sombre de mon existence que j'ai décidé de me réinventer. À l'époque, je sortais d'une dépendance à la cocaïne et d'une relation amoureuse qui m'avait coûté très cher en estime de moi. Je venais de déménager pour la énième fois et j'étais entre deux emplois. Après des années d'errance et une série de crises existentielles, je devais changer de vie, sinon je risquais d'y laisser ma peau. Cette douloureuse prise de conscience a éveillé en moi l'ardeur dont j'avais besoin pour aborder l'étape suivante dans mon évolution : me réinventer.

D'un point de vue initiatique, toute épreuve est une invitation à transcender les limites que nous nous sommes imposées, consciemment ou inconsciemment. Son but est de dégager en nous des ressources insoupçonnées pour faire surgir de notre être une force de caractère, un courage et une résilience dont nous ne sommes pas toujours conscients.

C'est ainsi que, pour nous aider à grandir émotionnellement et spirituellement, la vie placera sur notre chemin des relations, des situations, des événements, des problèmes et même des crises dont nous avons besoin pour évoluer.

En grec, le mot « crise » est l'association de deux mots : « discernement » et « décision ». Et, dans la langue chinoise, ce même mot est porteur d'une double signification : « opportunité » et « renouveau ». Sous cet éclairage, on peut voir qu'une crise est l'OPPORTUNITÉ de prendre la DÉCISION de se RÉINVENTER.

« Toute véritable transformation sera précédée
d'un grand moment d'inconfort, c'est là le signe que
vous êtes sur le bon chemin. »

Ajahn Chah

RELÈVE-TOI !

Un jour où je me promenais dans la nature avec mon chien Kenzo, au bout d'un sentier est apparue une petite fille accompagnée de sa mère. L'enfant commençait à peine à marcher, cela se voyait à son hésitation. Chaque fois qu'elle soulevait un pied, elle hésitait et vacillait. Je l'observais avec attention lorsque, tout à coup, elle est tombée. Mon cœur a chaviré. J'attendais que sa mère la soulève, mais elle est demeurée debout, à côté d'elle, sans lui porter secours. J'étais stupéfaite.

Mais, en m'approchant de la scène, j'ai pu entendre la mère dire à sa petite : « Relève-toi. » Et de poursuivre en l'encourageant doucement : « Tu es capable de te relever toute seule. Allez, vas-y, relève-toi. »

Quelques instants plus tard, l'enfant a soulevé lentement la tête, puis elle a pris appui sur ses mains et, courageusement, elle s'est relevée et s'est remise à marcher dans notre direction avec sur ses lèvres le sourire d'une championne en devenir !

Ce jour-là, une toute petite fille et sa mère m'ont donné une belle et très simple leçon de courage : dans la vie, quand on tombe face première, il faut simplement pleurer un bon coup, puis prendre son courage à deux mains, se relever et poursuivre son chemin.

Sur ma table de chevet, il y a un petit livre de sagesse zen.
L'autre matin, il s'est ouvert par hasard
sur cet enseignement rempli d'espoir :

« C'est toujours parce qu'on imagine la distance
qui nous sépare du but qu'on se décourage,
alors qu'il s'agit simplement de faire un premier pas,
puis de les aligner l'un après l'autre.
Ce premier pas est toujours le plus difficile,
mais, par la suite, on peut parcourir l'infini. »

LE PASSAGE DE L'ORAGE

Aux yeux des anciens Mayas, un orage était un fort bon présage. Le but de l'orage, selon leurs croyances, était de métamorphoser et d'embellir le paysage. Après son passage, le vent avait balayé la région et la pluie avait tout nettoyé le paysage. Et, de nouveau, le soleil brillait et les étoiles veillaient sur la terre maya.

J'aime à penser qu'il en est de même pour ces « orages » qui traversent nos vies et qui nous tombent sur la tête au moment où nous nous y attendons le moins. Naturellement, il est parfois difficile de trouver des éléments positifs au beau milieu d'une tempête, et ce n'est généralement qu'après son passage qu'on réalise que cet événement nous a transformés, et, très souvent, pour le mieux.

La prochaine fois qu'une tempête surgira dans votre vie, rappelez-vous que, bien qu'elle soit difficile à vivre et à traverser, son passage est le signe annonciateur d'une grande transformation à venir.

TENDRE LA MAIN

Tout comme la nature doit survivre à des pluies fortes et à des orages violents, nous sommes aussi destinés à traverser de grands bouleversements. L'une des choses les plus difficiles à vivre durant ces tempêtes de l'existence, c'est l'impression d'être seul à naviguer sur un océan déchaîné.

Durant ces périodes sombres, il faut se rappeler que ce qui sauve un naufragé au milieu de l'océan n'est pas de se mettre à nager de toutes ses forces, mais de tendre la main pour s'accrocher à quelque chose ou à quelqu'un. Pour éviter de nous noyer au milieu de nos problèmes et de nos difficultés, nous devons nous aussi tendre la main vers quelqu'un.

Tendre la main est la chose la plus courageuse à faire. Dans l'acte de s'accrocher et de demander de l'aide, on trouve la force de se relever. Et c'est ainsi, exactement comme le naufragé qui retrouve la terre ferme, qu'on arrive à se tenir debout.

Puis, peu à peu, les vents se calment et la tempête intérieure perd de sa force. On commence à voir clair devant soi. On trouve ainsi la force intérieure de continuer. De faire un pas, puis un autre, dans la direction d'une vie nouvelle.

Et, un jour, ce sera à notre tour de tenir la main de quelqu'un qui traversera une tempête.

La beauté de vivre

Il faut du caractère pour se réinventer.

Il faut de la résilience pour suivre sa voie.

Il faut de la patience pour se réaliser.

Il faut du courage pour rester authentique.

Il faut de l'humilité pour apprendre de ses erreurs.

Il faut de la sagesse pour accepter qu'on ne contrôle pas tout.

Il faut de l'espoir pour avancer quand on ne voit rien.

Il faut de l'amour pour être avec l'autre.

Il faut de la compassion pour être avec soi.

Quand on y arrive, on découvre toute la beauté de vivre.

Un souffle à la fois

Que ce soit l'annonce d'une longue maladie, la disparition d'un être cher, la perte d'un enfant, un accident grave ou le suicide d'un proche, personne n'est à l'abri des blessures de l'existence.

Durant ces douloureuses traversées, il faut s'accorder du temps. Seule la personne qui vit cette perte connaît le temps qui lui sera nécessaire pour guérir intérieurement de ses blessures. Personne ne peut en déterminer la durée à sa place. Ce temps de guérison est un temps sacré.

Pendant cette guérison du cœur, on peut choisir de se barricader chez soi, de se terrer derrière un mur, de fermer les portes de son cœur et de vivre à jamais dans la noirceur. Pourtant, c'est en revenant vers la lumière qu'on parvient à guérir plus rapidement un cœur blessé.

Si on arrive à ouvrir une petite fenêtre à l'intérieur de soi, un rayon d'espoir peut toucher le cœur. Même s'il est fragile, cet espoir annonce un nouveau départ. Et, grâce à lui, même si on a peur d'avancer, on le fait. Un jour à la fois. Et si c'est trop difficile, un pas à la fois ; et si cela est encore trop exigeant, un souffle à la fois.

Et c'est ainsi que, malgré la douleur d'une grande perte, la vie reprend le dessus doucement, tout doucement. Le brouillard se soulève. On commence à voir plus clair devant soi. C'est le signe qu'on est en route vers une nouvelle vie.

« Qui regarde à l'extérieur rêve.
Qui regarde à l'intérieur s'éveille. »

Carl Jung

CHUTE ET REMONTÉE

Un jour, une amie m'a avoué avoir trahi une promesse qu'elle s'était faite, celle de tout mettre en œuvre pour se libérer d'une dépendance. Après cette rechute, elle s'attaquait de plein front, se traitait de tous les noms, se jugeait à voix haute, se critiquait devant les autres. Évidemment, cela n'a fait que nourrir tous ses « démons » intérieurs, et elle en a souffert davantage.

Lorsqu'on souhaite se libérer d'une habitude néfaste ou d'une dépendance pénible, le chemin peut sembler long. Et, en route, il peut arriver qu'on s'épuise, qu'on s'égare, qu'on se décourage et parfois même qu'on tombe. Mais tomber n'est pas un échec. L'échec est de rester là où on est tombé, disait Socrate.

Alors, si jamais, en cours de transformation, vous tombiez, relevez-vous. Secouez-vous, remettez-vous sur pied et reprenez courageusement votre route. Une rechute, je le sais par expérience, est une invitation à une transformation plus profonde et plus durable que celle que nous avions imaginée. Et, si nous considérons cette rechute sous cet angle, cela pourrait fort bien être notre dernière !

Certains jours, si la seule chose que vous pouvez
faire est de respirer par le nez, c'est suffisant !

Mon cadeau mal emballé

Jusqu'à maintenant, j'ai reçu de nombreux cadeaux de la vie. Cela peut surprendre, mais je considère que la maladie chronique avec laquelle j'ai vécu durant vingt-cinq années en fait partie. Même si ce « cadeau » était des plus mal emballés, aujourd'hui, je sais que cette expérience de vie était nécessaire pour m'apprendre trois grandes leçons de l'existence.

La première fut que la maladie est une invitation à un profond changement de vie. Et ce changement ne peut se faire rapidement ; c'est un long cheminement au cours duquel nos habitudes, nos croyances et nos certitudes seront remises en question. En somme, pour guérir, il m'a fallu accepter d'être transformée, à la fois intérieurement et extérieurement. En d'autres mots, j'ai dû me réinventer de A à Z.

L'étape la plus importante dans mon processus de guérison a été d'apprendre à vivre le moment présent. Pour y parvenir, j'ai dû apprendre à laisser aller les regrets concernant mon passé et à me pardonner pour les mauvais choix que j'avais faits. J'ai dû aussi apprendre à ne plus me laisser emporter par des angoisses concernant le futur. Tout comme mes douloureux souvenirs, elles ne m'étaient plus d'aucune utilité.

Pour guérir, il me fallait vivre chaque étape de la maladie, sans en sauter aucune. Il me fallait accueillir chaque expérience, de la plus douloureuse à la plus merveilleuse, et me laisser transformer par elles. Au lieu de considérer la maladie comme une ennemie à combattre, j'ai choisi d'apprendre d'elle en la considérant comme un maître de sagesse, un professeur de vie. Et je l'ai laissée ainsi « enrichir » mon existence du mieux que j'ai pu.

Ma deuxième leçon a été de ne jamais me laisser définir par cette maladie. Mon corps — plus précisément mon foie — était malade, mais mon être véritable, lui, ne l'était pas. Et si je devais vivre jusqu'à la fin de mes jours avec cette maladie — c'était alors une possibilité —, il ne fallait jamais que je me laisse emprisonner en elle. Autrement dit, elle faisait partie de moi, mais elle n'était pas moi. Mon corps souffrait peut-être, mais mon cœur, mon esprit et mon âme existaient bien au-delà de l'hépatite C et ne devaient par en souffrir. J'ai tiré une force incroyable de cet enseignement.

La troisième leçon que la maladie m'a enseignée fut la plus belle : elle m'a fait comprendre que chaque journée qui nous est donnée est une vie en soi. Certains jours, nous devons la vivre avec intensité, comme si c'était la toute dernière journée de notre vie. À d'autres moments, nous devons la vivre calmement, lentement, comme si c'était la toute première journée de notre vie et que nous avions l'éternité devant nous.

À vous qui lisez ces mots, n'attendez pas de guérir pour recommencer à vivre. Cela, la maladie me l'a aussi appris : Vivre, c'est guérir !

ENTRE DEUX PORTES

On dit que lorsqu'une porte se ferme, une autre s'ouvre, mais parfois le couloir entre les deux peut nous sembler long et pénible à parcourir. Quand on traverse des temps difficiles, que la vie prend brusquement un tournant inattendu et qu'on doit faire face à l'inconnu, il est facile de se perdre dans l'angoisse, l'incertitude et les doutes. On a alors l'impression qu'une lourde porte se ferme sur soi.

Ce qui rend cette transition encore plus difficile à vivre, c'est que notre esprit a tendance à se focaliser uniquement sur le passé, sur le vide et la perte. Certes, on ne peut pas nier ni éviter le chagrin et la douleur causés par une perte, car la vie telle qu'on l'a connue, telle qu'on l'a aimée, prend fin.

La pratique de la bienveillance peut nous aider à adoucir ce passage dans notre vie en jetant un éclairage différent sur nos difficultés. Dès que nous ouvrons notre cœur et notre esprit pour accueillir ce qui est, cela nous donne la force et la confiance nécessaires pour avancer.

La compassion, envers soi-même et envers les autres, remplace un sentiment d'injustice ou d'impuissance par la conscience de ne plus être seul à vivre des moments difficiles et des peines. Quels que soient nos problèmes, nous devons nous souvenir que nous sommes tous destinés à vivre des moments difficiles. Bien qu'il ne soit pas toujours facile d'accepter cette réalité telle qu'elle se manifeste, c'est un premier pas pour se frayer un passage à travers la forêt d'angoisses et trouver la sortie vers la lumière.

Si vous avez présentement l'impression d'être à traverser un long corridor, faites confiance. Une autre porte bientôt s'ouvrira devant vous. Elle s'ouvrira sur un nouvel horizon.

REPARTIR À NEUF

Indépendamment de la situation à laquelle nous devons faire face, que ce soit un défi, ou un conflit, la chose la plus importante à faire est de ne pas fuir devant un problème. Quelle que soit la situation, en respirant consciemment et calmement, on peut arriver à demeurer présent, calme et centré intérieurement. L'exercice qui suit vous aidera à rester ancré en vous-même.

En vous assurant que votre dos est droit et que votre cœur est grand ouvert, adoptez une position dans laquelle vous vous sentez stable et détendu intérieurement.

Prenez de longues, lentes et profondes respirations par le nez.

Tandis que vous respirez, laissez descendre l'expiration jusque dans les profondeurs de votre ventre en laissant remonter l'inspiration jusqu'au centre de votre cœur.

Répétez encore et encore cette façon douce et consciente de respirer en sentant que chaque souffle vous relie à quelque chose de plus grand.

À l'instant même où vous faites cet exercice de pleine présence, vous ne faites plus qu'un avec votre respiration.

Lorsque vous êtes ainsi réuni, unifié, centré en vous-même, vous êtes enraciné dans la vie.

Cette connexion vous apporte la force et le courage d'avancer.

Vous n'êtes plus prisonnier du passé ni otage du futur.

Vous êtes entièrement présent, totalement conscient, pleinement vivant.

Vous portez désormais en vous-même la force de surmonter toutes vos difficultés et celle de repartir à neuf.

PARDONNER

« La perte et la trahison déchirent le cœur.

Regarde à travers cette ouverture et cherche la sagesse
qui y demeure. »

Le Bouddha

Les maîtres dans nos vies

Il y a quelque temps, j'ai vécu un conflit avec une personne de mon entourage. Ce n'était pas un grand conflit, mais un irritant assez important pour que je pense continuellement à cette personne. Jour après jour, mon esprit me ramenait en arrière tandis que mon ego, lui, rejouait en boucle le même scénario grossissant les fautes de l'autre tout en ignorant les miennes. Ce cycle infernal s'est répété sans cesse durant des jours et des jours.

Un matin, alors que j'étais assise devant la bibliothèque, dans mon bureau, je suis tombée sur cette phrase lue dans un petit livre de sagesse : « Dans la vie, il n'y ni amis ni ennemis, mais uniquement des maîtres. » J'ai fermé le livre et le l'ai remis sur l'étagère. J'étais incapable de voir comment les paroles et les actes de cette personne pouvaient m'apprendre quoi que ce soit. Peu importe la leçon qu'elle était venue m'enseigner, pensais-je en moi-même, je trouvais le prix trop élevé.

Dans les jours qui ont suivi, ma réactivité n'a rien réglé. Je n'arrivais toujours pas à être en paix à l'intérieur de moi-même. Même durant mes séances de méditation, une pléthore d'émotions m'envahissait. Une nuit où je n'arrivais pas à dormir, car je repassais en détail le conflit vécu avec cette personne, je me suis levée pour méditer.

Durant cette séance de méditation, l'expression «maître de vie» résonnait au fond de moi. Au début, mon premier réflexe fut d'y résister. Mais peu à peu mon cœur s'est ouvert et j'ai compris que cette personne était de passage dans ma vie pour m'enseigner quelque chose d'important. Elle était venue m'apprendre à exprimer plus clairement mes attentes et mes besoins.

Cette merveilleuse prise de conscience a été suivie de larmes de soulagement et de gratitude. Je venais de saisir l'enseignement contenu dans ce livre de sagesse : pour se libérer du poids de la rancune, chacun doit laisser aller les blâmes et ne retenir du passé que les leçons qui peuvent servir à se réinventer.

Aujourd'hui, je suis reconnaissante à cette personne de la leçon de vie. Et même si elle ne fait plus partie de mon quotidien, elle fait toujours partie de mes maîtres de vie.

RECONNAÎTRE VOS MAÎTRES DE VIE

Quand on fait l'expérience d'une situation conflictuelle, nos pensées et nos émotions peuvent nous garder prisonniers du passé. Le but de cet exercice est de vous permettre de ressentir vos émotions mais sans tomber dans un état de réactivité. Je vous suggère pour le pratiquer de trouver un endroit tranquille et sécurisant.

D'abord, autorisez-vous à vivre ce que vous avez à vivre. Donnez-vous la permission d'éprouver la douleur ou la colère que cette situation suscite en vous-même.

Il est important de respirer lentement et profondément pendant que vous laissez ces sensations et ces émotions traverser votre paysage intérieur.

Lorsque vous vous sentirez prêt, laissez venir à vous le visage de la personne avec qui vous vivez un conflit ou qui vous a fait du mal.

Respirez doucement pour rester dans le moment présent et pour éviter de ressasser inutilement les souvenirs douloureux ou de vous laisser emporter dans des réflexes de colère ou d'amertume.

Maintenant, tout en respirant doucement, questionnez-vous : « Qu'est-ce que cette personne est venue faire dans ma vie ? Qu'est-elle venue m'enseigner ? Quelle est la leçon à tirer de cette situation ? »

Il se peut que, pendant ce questionnement, votre irritation augmente, mais c'est temporaire. Respirez. Voyez chaque inspiration comme une occasion d'ouvrir plus grand votre cœur. Considérez chaque expiration comme une invitation à laisser aller le passé.

Écoutez votre cœur, écoutez-le vraiment. Votre cœur n'a qu'un seul désir : vivre en paix. Demandez-lui, en respirant calmement, ce que cette personne est venue vous enseigner. Que vous apprend-elle sur vous-même ?

Prenez votre temps pour laisser émerger la réponse et pour accueillir la précieuse leçon de vie que cette personne est venue vous offrir. Lorsque vous l'aurez découverte, nommez-la avec douceur. Pour clore cet exercice, de façon douce, posez une main sur le cœur et l'autre par-dessus, et pardonnez pour vous libérer de cette situation.

Lorsqu'on comprend mieux les leçons à tirer d'un conflit, on réalise que chaque expérience, si difficile soit-elle, est une invitation pour se réinventer.

Quand je refuse de pardonner à l'autre,
je lui donne la clé pour qu'il puisse emménager
dans ma tête et y vivre
24 heures sur 24,
7 jours sur 7,
sans payer de loyer.

LE POIDS DE LA RANCUNE

Un professeur de méditation demande un jour à ses étudiants d'apporter un sac de plastique vide et un sac de patates à la prochaine séance.

La semaine suivante, les étudiants prennent leur place face au professeur qui leur demande de penser à des personnes envers lesquelles ils entretiennent de la rancœur et du ressentiment.

À la fin de la séance de méditation, le professeur demande à ses élèves d'inscrire le nom de ces personnes sur des patates — un nom par patate — et de mettre toutes ces patates dans leur sac de plastique. Certains étudiants sont repartis avec une seule patate, tandis que d'autres avaient plusieurs grosses patates au fond de leur sac.

Ce soir-là, ils ont dû faire la promesse que, peu importe où ils iraient, peu importe ce qu'ils feraient ou avec qui ils seraient, ils ne se déferaient jamais de leur sac. Jour après jour, les patates les suivaient : au petit-déjeuner, dans le métro, dans la voiture, au bureau, au centre commercial, chez le dentiste, au centre de conditionnement physique, au cinéma, au supermarché… Partout, en tout temps, le sac était là.

Vers la fin de la semaine, certaines patates commençaient à germer au fond du sac, d'autres dégageaient une odeur nauséabonde. Lorsque arriva enfin l'heure tant attendue de la classe de méditation, tous les étudiants avaient hâte de se départir de leur sac de patates. Tous avaient compris le sens de l'exercice : pardonner, c'est se libérer du poids du passé et retrouver sa pleine liberté intérieure.

« Entretenir du ressentiment, c'est boire un peu de poison chaque jour en espérant que l'autre en mourra. »

Le Bouddha

Le passé comparé au présent

Trop souvent, nous comparons les choses, les gens, les événements. Nous comparons un ancien patron avec un nouveau, un ami du passé avec un ami du présent, un ex-conjoint avec un nouvel amour.

Chaque fois que votre esprit retourne en arrière, prenez conscience qu'il peut nous ramener du passé un tas de vieux ressentiments et de mauvais souvenirs, et ce sera comme un sac à dos très lourd à porter.

Alors, la prochaine fois que votre esprit sera tenté de comparer, de critiquer ou de juger une personne de votre passé, prenez une grande inspiration par le nez et restez silencieux. Rappelez-vous que ces comparaisons ne font qu'ajouter un poids de plus à votre vie.

Ne ramenez plus le passé et évitez de comparer hier à aujourd'hui. Vivez pleinement votre vie de maintenant et faites de chaque jour une journée neuve !

Retour vers l'amour

En raison de mon passé, certaines de mes blessures étaient si profondes que je croyais que pardonner était impensable, irréalisable. Mais j'ai compris que, sans pardon, la guérison dont je rêvais serait incomplète. Car, tant et aussi longtemps qu'on refuse de pardonner, les blessures du cœur restent grandes ouvertes. Pardonner, c'est en guérir.

En ce qui me concerne, nulle expérience ne fut plus profondément transformatrice dans ma vie que celle du pardon. Demander pardon aux autres et accepter en retour de pardonner n'est pas un simple geste, car cela exige beaucoup de courage. Mais une profonde transformation s'ensuit. Le véritable pardon ouvre le cœur et apaise nos douleurs.

Pardonner signifie que nous acceptons la réalité et le fait que nous avons subi un tort ou qu'une personne nous a trahis ou blessés. Mais cela ne signifie pas qu'on excuse les gestes de l'autre, ni qu'on baisse les bras ou qu'on renonce à nos droits. Le pardon, c'est un cadeau qu'on offre à soi-même pour quitter un état de douleur qui appartient au passé et faire un doux retour vers le moment présent. Pardonner, c'est nous libérer nous-mêmes du carcan de la souffrance, qui nous enchaîne à hier, pour avancer, libres et confiants, vers l'avenir.

Dans son sens le plus profond, le pardon nous réinvente. L'expérience de pardonner nous ramène à l'amour. L'amour de soi qui est salvateur. L'amour des autres qui nourrit. L'amour de la vie qui nous guérit.

Il n'est jamais trop tard

C'est vrai...
Ce qui est fait est fait.
Ce qui est dit est dit.
On peut passer des jours et des nuits à ressasser le passé,
on ne pourra rien y changer.
Pas un point. Pas une virgule.

C'est vrai, mais, au présent,
on peut changer tant de choses...
Le présent est plus fort que le passé !
Ici et maintenant, pour que la paix revienne,
on peut faire quelque chose.

Aujourd'hui même, on peut donner un coup de fil, envoyer
un courriel, s'excuser d'un geste ou d'une parole blessante,
échanger un regard tendre, offrir un véritable sourire, tendre
la main à l'autre…

Sur l'horloge du cœur, il n'est jamais trop tard !

Voyager le cœur léger

Aux derniers jours de l'été, assise dans le jardin, j'observe les oiseaux préparer leur voyage. Dans l'ombre fraîche du vieil olivier au fond de la cour, je les regarde aller et venir.

Avant qu'arrive le froid de l'automne, ils s'affairent à faire leurs bagages. Et de temps à autre, ils lancent juste un chant ou un petit cri pour aviser les autres qu'ils s'apprêtent à partir. Ils s'envoleront demain ou après-demain vers un pays plus chaud.

Derrière eux, ils laisseront un nid, une poignée de terre, quelques feuilles et un tas de brindilles. Les oiseaux n'ont pas peur de laisser partir ce qui appartient au passé. Ils savent d'instinct que pour prendre leur envol, il faut qu'ils acceptent de laisser derrière eux tout ce qui appartient à hier.

Nous devrions tous faire comme les oiseaux et nous débarrasser dès aujourd'hui de ce qui nous pèse, de ce qui alourdit notre cœur et assombrit notre vie. Nous devrions, vous et moi, dès aujourd'hui, voyager vers une nouvelle vie, le cœur libre et léger.

JOIE

« La joie authentique est un espace dans lequel tout se manifeste, un feu d'artifice permanent qui ne ternit en rien le ciel mais en fait découvrir l'absence de limites.

La joie ne supporte pas les demi-mesures.

On ne peut être partiellement joyeux.

Elle prend la totalité de l'être... »

Daniel Odier

SIMPLE JOIE DE VIVRE

La vie n'est pas toujours rose. Cela, tout le monde le sait. Mais ce n'est pas une raison pour la vivre tristement. Personnellement, je me surprends encore souvent à prendre la vie trop au sérieux.

Par exemple, certains jours où je suis plus stressée ou un peu fatiguée, j'ai envie de me plaindre de tout et de rien. À ces moments-là, le meilleur outil pour alléger mon esprit et changer mon humeur, c'est le rire.

Le rire est un formidable instrument pour désamorcer les petits « drames » du quotidien. Certes, il me faut parfois faire un petit effort pour sortir de ma tête et trouver une raison de rire de moi-même ou d'une situation, mais lorsque j'y arrive, cela me procure une incroyable détente et une paix intérieure.

Nous pouvons sincèrement vouloir progresser dans notre vie et souhaiter nous réinventer, mais, si nous le faisons sans joie aucune, cela donne quoi ? Le rire est un puissant outil pour retrouver rapidement la joie simple et authentique de vivre au moment présent.

Le simple fait de rire aux éclats ramène dans notre corps une sensation de légèreté. En riant avec l'autre ou en riant affectueusement de soi-même, on redécouvre le bonheur pur de l'enfance. Au début, cela n'est pas toujours facile de rire au quotidien, mais avec le temps, on arrive à cultiver un véritable sens de l'humour.

Dans la poursuite du succès, d'une guérison et du bonheur, il ne faut pas oublier de se réserver des moments de joie, c'est là une merveilleuse façon de se détendre, de lâcher prise et de vivre pleinement l'instant présent.

Aujourd'hui, allégez un peu votre attitude envers la vie. Si vous prenez le temps de rire de vous-même, avec les autres, avec bonté et bienveillance, vous vous sentirez plus détendu et plus serein. Votre rire vous rendra plus joyeux, et vos proches aussi.

SE RENOUVELER
PAR LE MOUVEMENT

Vivre pour moi ne veut pas dire simplement « exister ». Vivre signifie évoluer avec grâce et en sagesse. Et pour m'y exercer, c'est-à-dire pour vivre mieux, mon outil de choix est le yoga.

Contrairement à ce que l'on croit, le yoga est plus qu'un simple programme d'exercices. L'aspect le plus important du yoga n'est ni la souplesse, ni l'équilibre, ni la force, mais le respect du corps. L'essence même de cette discipline vieille de six mille ans réside dans une écoute profonde de notre corps afin d'explorer ses multiples possibilités.

À la fois physique et méditatif, le yoga est un chemin de vie qui mène au centre de notre être. Personnellement, le yoga m'a montré la voie de la guérison et il m'a aussi donné la force intérieure pour me réinventer. Lorsque j'ai commencé cette pratique il y a plus de vingt-cinq ans, j'ai fait la découverte d'un monde intérieur insoupçonné.

Ce monde est à l'intérieur de vous comme à l'intérieur de moi. C'est une source profonde de calme, de sérénité, de vitalité et de guérison. C'est un univers qui ne vieillit pas. Ce fut une grande révélation pour moi.

En répétant cette pratique tous les jours, on arrive à harmoniser nos énergies intérieures et extérieures. Lorsqu'on y parvient, on fait l'expérience d'une grande paix. La paix avec nous-mêmes, dans toutes les couches de notre être. La paix avec l'autre, peu importe nos différences. La paix avec le monde dans son entièreté. C'est là le véritable fondement du yoga, son but et sa raison d'être.

Le yoga nous apprend aussi à observer attentivement le fonctionnement de notre esprit. On l'apprivoise ainsi et, peu à peu, nos mauvaises habitudes se transforment en des qualités plus nobles comme la patience, la tolérance et la bienveillance.

Je vous invite à découvrir par vous-même une discipline physique et contemplative de votre choix et à la pratiquer au quotidien. Si l'on souhaite vivre longuement tout en restant jeune, il faut explorer au mieux les possibilités de son corps dans toutes ses dimensions. En un mot, il faut bouger, bouger, bouger. Voilà une merveilleuse façon de se réinventer.

Ce n'est pas la fin
du monde...

Ma grand-mère paternelle était de nature inquiète. Elle s'angoissait facilement pour tout et pour rien. Mon grand-père, lui, était d'une nature diamétralement opposée. C'était un homme doux et paisible. Partout et en tout temps, il affichait un calme olympien. Devant les petits et les grands événements de la vie, il ramenait les choses à l'essentiel. Quand ma grand-mère s'énervait, qu'elle s'irritait ou s'inquiétait devant les petits drames de l'existence, calmement il lui disait : « Ben voyons, ce n'est pas la fin du monde. »

Quand vous êtes angoissé, colérique, impatient ou nerveux, fermez les yeux et répétez doucement que « ce n'est pas la fin du monde ». En respirant lentement, ramenez votre attention à ce qui est, et non pas à ce qui a été ou à ce qui pourrait être. Ce faisant, vous constaterez que la situation perd son caractère dramatique, que votre esprit s'éclaircit, se centre et se tranquillise. Et peu à peu, tout comme l'eau finit par éroder la pierre, le mantra dissout l'angoisse qui vous oppresse. Le cœur redevient calme et tranquille et l'on touche à une joie simple et profonde.

Aujourd'hui, quand mon esprit s'emballe, dérape ou s'inquiète, je respire et, peu importe ce qui m'arrive, je me rappelle ces sages paroles de mon grand-père : « Ben voyons, ce n'est pas la fin du monde ! »

Cessez d'angoisser en songeant à l'avenir,
car les chances que les choses arrivent à 100 %
comme vous les avez imaginées
sont de... 0 %.

Un brin d'humour à méditer

J'ai eu le privilège de rencontrer sur ma route de grands professeurs. Je me souviens avec affection de l'un d'entre eux qui enseignait la méditation avec dévotion, humilité et humour. Quand ses étudiants devenaient trop préoccupés par leur propre personne, il se mettait à rire avec bienveillance de leur « importance » en leur récitant ce merveilleux petit poème :

Si vous pouvez démarrer la journée sans caféine,

si vous pouvez être toujours gai et de bonne humeur
en ignorant courbatures et douleurs,

si vous pouvez résister à la tentation de vous plaindre
et d'ennuyer les autres avec vos problèmes,

si vous pouvez rester calme après avoir appris une mauvaise
nouvelle,

si, sans éprouver la moindre jalousie, vous pouvez écouter
les aventures extraordinaires de vos amis qui voyagent
de par le monde,

si vous pouvez manger la même nourriture, jour après jour,
sans jamais vous plaindre et en étant toujours reconnaissant,

si vous pouvez accepter les critiques, les réprimandes et les
blâmes, sans ressentiment,

si vous pouvez comprendre sans jugement que vos proches sont trop occupés pour vous accorder du temps de qualité,

si vous arrivez à vaincre le stress et la tension sans difficulté et sans médicaments,

si vous pouvez vous relaxer sur-le-champ et sans alcool,

si vous pouvez dormir paisiblement sans tisane ni somnifère,

alors, vous êtes probablement… le chien ou le chat de la famille !

ÉVEIL AU MONDE

Satori est un terme japonais qui signifie «éveil au monde». D'une grande simplicité, ce mot renferme une force puissante et tranquille qui intensifie notre présence à ce qui nous entoure. Quand je marche dans la nature, il m'arrive souvent de me répéter silencieusement «satori» comme un doux mantra pour apaiser mon esprit.

Le but de satori est de nous enseigner une manière d'être au monde qui inclut tout, absolument tout ce qui est. Satori cultive en soi le merveilleux sentiment d'être relié, transparent et profondément uni au monde qui nous entoure. Il paraît que les êtres éveillés et les grands maîtres de sagesse de ce monde connaissent cet état de grâce.

On dit que lorsque nous parvenons à cet état appelé satori, quelque chose de très beau et de très profond nous arrive. On fait l'expérience d'une forme d'amour très rare. Un amour sans préférence ni séparation ni différence. On regarde un arbre, on devient l'arbre. On regarde la forêt, on devient la forêt. On regarde la montagne, on devient la montagne. On regarde un oiseau, on devient l'oiseau.

Lorsque l'on pratique cet état de présence dans notre vie, on réalise qu'il n'y a plus de division entre le monde et ce que nous sommes. Plus miraculeux encore, on découvre qu'il n'y en a jamais eu.

S'OFFRIR UN BONHEUR
TOUT SIMPLE

Il y a des années déjà, j'ai appris une chose fascinante sur l'être humain : c'est le seul être sur la terre qui, quand il est fatigué, ne se repose pas. De tous les êtres vivants, l'être humain est le seul qui continue, malgré l'épuisement, à répondre à une multitude de sollicitations. On peut le voir durant un jour de « congé », durant la période des « vacances », consulter à distance sa boîte aux courriels, répondre à des demandes, « jouer » au golf ou au tennis avec des clients potentiels, conclure des affaires, élaborer des projets. Autrement dit, on ne se repose que très rarement, et, quand on le fait, c'est rarement le corps et l'esprit en même temps...

Heureusement, nous possédons tous la faculté naturelle d'apprendre à nous détendre profondément et cela commence par détourner notre attention du monde extérieur pour la tourner vers l'intérieur. Grâce à ce détournement de l'attention, nous devenons plus disponibles et plus attentifs à ce qui se passe à l'intérieur de nous.

Une recommandation cependant : la relaxation, c'est un monde de sensations. Ce n'est pas une réflexion ni une dissertation, mais un état d'être en soi. Alors, il faut éviter d'analyser la relaxation et tout simplement se détendre.

Se détendre, c'est d'abord observer et écouter attentivement ce qui se passe en soi, sans interprétation et sans jugement. Vous vous installez confortablement dans un endroit calme, vous respirez profondément et vous lâchez prise complètement. Au bout d'un certain temps, vous constaterez qu'il se crée un espace de plus en plus grand en vous. Vous ressentirez davantage le mouvement de votre souffle, les battements de votre cœur, les mouvements de votre esprit. Vous verrez, toute notion de séparation s'efface. Cette unification, c'est l'état qui annonce que la relaxation s'est infiltrée dans toutes les couches de votre être. C'est le moment d'abandonner toute résistance et de vous laisser doucement envahir par ce courant d'énergie apaisante.

Se relaxer n'est ni un luxe ni un caprice, mais un besoin vital chez tout être humain. C'est un état dont nous avons tous besoin pour relever les défis de la vie au quotidien. Que ce soit pour dix minutes ou pour une demi-heure, la relaxation profonde est un art de vivre à découvrir et à s'offrir au quotidien.

LA JOIE À NOTRE PORTÉE

C'est l'histoire d'une dame âgée qui pleurait tout le temps. Elle avait deux filles. L'aînée était mariée à un vendeur de parapluies et l'autre, à un marchand de nouilles. Quand le soleil se levait le matin, la dame s'inquiétait pour sa fille aînée, puisque personne n'achèterait de parapluies à son mari. Le lendemain, si le ciel était gris ou qu'il pleuvait, elle s'inquiétait pour la cadette. Elle pleurait ainsi toute la journée en disant à ses amis et à ses voisins que la pluie empêcherait les gens de venir au restaurant de son gendre.

Un jour, un vieux sage passa par le village. Lorsqu'il s'arrêta près de la vieille dame en pleurs, il lui demanda la raison de son malheur. Elle lui raconta ses inquiétudes et le vieillard lui dit tout doucement : « Ne pleurez plus, je vais vous apprendre comment régler votre problème. C'est très simple. À partir de maintenant, les jours de pluie, pensez à votre gendre qui vend des parapluies et dites-vous que le temps qu'il fait lui apportera joie et prospérité. Les jours ensoleillés, ne pensez pas à votre fille aînée, mais à votre cadette. Par une journée si éclatante, son mari pourra faire sécher ses nouilles au soleil et la chaleur attirera plein de clients à son restaurant. » Depuis ce jour, la vieille femme a été rebaptisée par ses voisins la « dame qui sourit tout le temps ».

La vie est une question de perception, et le regard que nous portons sur les choses est déterminant. Si nous nous concentrons uniquement sur ce qui nous déplaît, nous inquiète ou nous manque, nous gâchons notre journée. Mais si nous nous focalisons sur ce qui va bien, sur ce qui est beau et essentiel, d'emblée la journée est plus fluide et légère.

Aujourd'hui, prenez le temps d'ajuster votre vision. Ouvrez les yeux et découvrez que la joie est à votre portée, juste ici. Maintenant.

MOT DE PASSE

Depuis quelques années déjà, chaque jour, dès mon réveil, je détermine mon intention pour la journée à venir. Après avoir respiré calmement pendant quelques minutes, je laisse s'élever de mon cœur un mot qui me servira de guide pour les heures à venir.

Une fois que j'ai trouvé mon « mot de passe », que ce soit « joie », « patience » ou « courage », je le répète silencieusement plusieurs fois comme un mantra. Par la suite, plusieurs fois par jour, je repense à ce mot. Il me sert de guide dans mes pensées, dans mes décisions, dans mes paroles et dans mes actions.

Souvent, devant la liste de choses à faire, devant le flot des courriels, devant un imprévu, pour ne pas être emportée par le tourbillon, je répète calmement mon intention. Parfois, il m'arrive même de le chanter à tue-tête. Je m'exerce ainsi à conserver mon esprit rivé sur ma motivation et cela m'aide grandement à demeurer dans le moment présent.

Cet exercice peut sembler basique, mais avant de le mettre de côté, faites-en l'essai. Aujourd'hui, choisissez un mot, n'importe quel mot qui vous inspire. Que ce soit le mot « calme », « légèreté », « confiance », « humour », « courage » ou « paix », vous constaterez vite à quel point votre mot de passe peut changer une journée ordinaire en une journée extraordinaire !

Exercice

RALLUMER LA FLAMME

Dans la journée, sans même nous en rendre compte, nous émettons des commentaires sur tout ce qui nous entoure. Bien souvent, nous formulons des opinions et des verdicts sur les autres, sur les situations et sur les événements.

Nous mitraillons inconsciemment la réalité de centaines de jugements à l'heure sous forme de pensées, d'images, de sensations, d'émotions, sans jamais y prêter attention.

Au fil du temps, cette façon de voir le monde éteint la joie de vivre. On devient cynique, irritable, plein d'amertume et de ressentiment. Notre vie se complique. On voit le quotidien comme une série de tracas et de difficultés de toutes sortes.

Le cas échéant, il faut faire une pause dans notre journée et prendre le temps de nous recentrer et de rallumer notre flamme de joie de vivre !

Voici un petit exercice pour vous aider à y parvenir :

1. Inspirez par le nez, sans remplir complètement les poumons.

2. Expirez par le nez, sans vider complètement les poumons.

3. Restez « à vide » quelques secondes en visualisant que votre cerveau se vide de toute pensée, de toute comparaison, de toute critique.

4. Inspirez lentement et profondément en abandonnant tout jugement.

5. Conservez ce souffle quelques secondes en comprenant que vous êtes entièrement responsable de votre bonheur.

6. Expirez avec gratitude et tout en contemplant chaque chose du monde qui vous entoure comme si c'était la première fois.

La gratitude a le pouvoir de changer notre attitude envers la vie. Grâce à cette pratique, en quelques minutes, vous ne serez plus la même personne.

LIBERTÉ

« Être vraiment libre, c'est lorsqu'il n'y a plus aucune
séparation entre ce que je considère comme étant
"moi" et tout ce qui m'entoure. »

Thich Nhat Hanh

DÉPOSER NOS BAGAGES

C'est l'histoire de deux jeunes moines qui voyageaient à pied. Arrivés près d'une rivière, ils virent une jeune femme assise au bord de l'eau, qui pleurait en silence. L'un des moines s'approcha d'elle et lui demanda : « Pourquoi pleurez-vous, mademoiselle ? » « J'habite sur l'autre rive, répondit-elle, et chaque jour je traverse la rivière à pied, mais depuis ce matin l'eau a tellement monté que j'aurais besoin d'une barque pour rentrer chez moi. » Sans hésiter, le jeune moine prit la jeune femme sur ses épaules, traversa la rivière et la déposa de l'autre côté. Et les moines poursuivirent leur chemin.

Quelques heures plus tard, alors qu'ils marchaient dans la forêt, l'autre moine dit : « Tu n'aurais jamais dû toucher à cette femme, puisque tu as fait le vœu de chasteté. » Paisiblement, le premier moine se tourna et répondit : « Moi, j'ai laissé cette femme sur la rive il y a plusieurs heures, alors que toi tu la portes encore. »

Cette histoire peut trouver écho en chacun de nous. Comme ce moine qui continuait de porter la jeune femme dans son esprit, nous avons tendance à porter sur nos épaules un lourd bagage qui appartient au passé. L'être humain a une incroyable capacité de se renouveler, mais pour y arriver, il doit accepter de laisser aller les vieilles blessures, les griefs, les déceptions et les rêves brisés, car cet excès de poids alourdit la vie et nous empêche d'avancer.

Pouvez-vous imaginer quel soulagement et quelle liberté ce serait que de laisser aller, une bonne fois pour toutes, ce qui appartient au passé, pour repartir à neuf ?

Se départir des étiquettes

Notre esprit adore se raconter des histoires sur qui nous sommes, sur les autres, sur ce que nous sommes capables de faire ou non, sur ce que les autres font. Il invente des scénarios, crée de petits drames personnels qui renforcent en chacun de nous le sentiment d'être différent et séparé des autres.

Et sans même s'en rendre compte, l'esprit appellera « miens » ou « miennes » des événements et des expériences de notre quotidien. Il s'identifie ainsi aux circonstances extérieures de notre vie. Combien de fois avez-vous dit, à propos de certains symptômes, « mes migraines », « mon mal de dos », « mon anxiété » ?

De la même manière, l'esprit entretient des croyances, des jugements et des limitations de toutes sortes. Combien de fois entendez-vous « je ne sais pas faire ça », « je suis trop grosse », « je suis trop vieux », « je ne suis pas assez ceci » ou « je suis trop cela » ?

Ainsi, on aura tendance à croire que nous sommes notre âge, notre poids, notre profession, notre orientation sexuelle, notre couleur de peau, notre classe sociale. Mais, nous ne sommes rien de tout cela !

Nous ne sommes ni notre état de santé, ni notre handicap, ni notre dépendance, ni nos croyances religieuses, ni nos affiliations politiques. Nous pouvons honorer nos origines, remplir divers engagements au quotidien, occuper certains postes dans la société, traverser des étapes de notre vie, mais sans nous identifier à toutes ces conditions.

Toutes les situations extérieures varient, elles apparaissent et disparaissent avec le temps. Leur durée est indéterminée et leur nature est provisoire. Ces circonstances n'ont aucune substance réelle et elles ne représentent pas qui nous sommes. Qui nous sommes est beaucoup plus grand que ces événements et ces conditionnements de notre esprit.

Notre véritable nature est un état de pleine conscience. Lorsqu'on le réalise, notre esprit redevient un espace riche et profond dans laquelle on découvre mille et une possibilités de se réinventer.

La prochaine fois que vous vous entendrez dire « je suis ceci » ou « je suis cela », assurez-vous que vos mots représentent toute la puissance et l'infinité de votre être.

Laissez partir

Ne vous agrippez pas au passé.

Laissez partir ce qui est terminé.

Ne vous agrippez à rien, à personne.

Laissez aller ce qui ne vous ressemble plus.

Honorez ce qui a été appris.

Remerciez ce qui a été.

Ouvrez-vous pleinement au moment présent.

Retombez dès aujourd'hui amoureux,
amoureuse de votre vie !

Et préparez-vous dès maintenant

à accueillir quelque chose de beau et de grand.

À la prochaine expiration, laissez aller tout ce qui s'est passé
avant cet instant.

À la prochaine inspiration, recommencez à neuf !

Renoncer, c'est se libérer !

Ce jour-là, j'étais assise sur une terrasse avec des copains. Nous venions de terminer notre repas et le serveur nous apportait la carte des desserts et des cafés. Chacun tendit la main pour saisir le menu, sauf un de mes amis qui refusa poliment. « Tu te prives de dessert ? » lui demandai-je. « Non, répondit-il. Je me prive de brûlures d'estomac ! »

Sa réponse m'a déconcertée. Mais, après réflexion, j'ai compris que mon bel ami venait de m'enseigner une autre façon de voir le renoncement.

Pour plusieurs d'entre nous, renoncer est considéré comme un sacrifice. Dire non à un troisième verre de vin, à un morceau de gâteau, à une cigarette ou à une heure de plus sur Internet nous apparaît comme une restriction, voire comme une « punition ». Or, renoncer, je venais de l'apprendre, c'est choisir d'être libre. Libre de dire non à quelque chose pour s'offrir la vie qu'on veut !

Depuis ce jour-là, je prête attention à ceux qui savent dire « non, merci ». Je remarque très souvent que cette forme volontaire de renoncement surgit d'un véritable discernement, celui de choisir les choses qui nous font du bien et de dire « non, merci » au reste.

Maintenant, je m'exerce aussi à dire « non, merci » à de petites et grandes choses qui nuisent à ma liberté. Je n'y parviens pas toujours, mais, quand j'y arrive, c'est fou à quel point ma vie devient fluide et légère.

Renoncer, je l'ai compris, c'est une autre façon de se choisir, de se réinventer et de s'aimer !

Naviguer sur les vagues de l'existence

Conflit au travail, soucis avec les enfants, relation amoureuse qui bat de l'aile, ennuis financiers, problème de santé — nous avons tous à subir les vagues incessantes de l'existence. Selon notre tempérament, il nous arrive de réagir à ces bouleversements de manière impulsive ou négative. Mais on pourrait apprendre à naviguer plus librement sur les vagues de l'existence en s'inspirant des grands surfeurs de ce monde.

Quand l'océan est déchaîné et que les vagues sont particulièrement difficiles à dompter, le surfeur d'expérience ne se laisse pas décourager. Les yeux rivés sur les vagues, un surfeur de haut niveau embrasse l'expérience à venir dans sa totalité.

Le surfeur reste calme et concentré. Il attend avec patience et détermination la bonne vague, celle qui saura le porter plus haut et plus loin. Pour la reconnaître, il doit faire preuve de courage, d'humilité et d'endurance, mais aussi d'une ouverture et d'une grande légèreté afin qu'au bon moment il puisse rebondir sur la vague.

En surf, comme dans la vie, les risques de tomber sont grands. À tout moment, on risque de toucher le fond, d'y rester accroché, de frapper un creux de vague, mais, quand un athlète de haut niveau tombe, il accueille humblement sa chute.

Un surfeur d'expérience ne rend jamais la vague responsable de sa chute. Il ne lutte jamais contre l'océan. Il apprend simplement à danser avec les vagues.

Aujourd'hui, à l'image des grands surfeurs de ce monde, au lieu de se laisser ballotter par les courants de l'existence, on peut apprendre à naviguer sur chaque vague de la vie.

Et si on vous disait que la vie n'est pas un combat,
mais une danse.

Qu'est-ce que cela changerait dans votre attitude,
aujourd'hui ?

SAGESSE

En quête de sagesse

Il existe plusieurs formes de « sagesse » en ce monde.

La sagesse raisonnée du pur intellectuel.

La sagesse réfléchie du philosophe.

La sagesse incarnée des êtres éveillés.

La sagesse contemplative du méditant.

La sagesse qui s'exerce à travers un art ou une discipline corporelle comme le yoga.

La sagesse qui vient à certains avec le grand âge.

Puis, il y a celle dont on ne parle pas, celle que les mots ne peuvent atteindre.

Cette sagesse dont l'essence s'incarne sans pouvoir se définir.

Une sagesse qui, tout comme l'amour, est invisible, indicible, mais qui se ressent.

Cette sagesse-là, je ne peux que l'imaginer.

Je ne peux qu'imaginer cet état de présence très réel
qui témoigne de la réalisation d'une paix profonde avec
soi-même et avec le monde.

Cette sagesse-là, je le pressens, se trouve cachée dans une
partie de vous, de nous.

Elle est là, tapie au cœur de chaque être humain.

Alors, il faut partir à sa recherche.

Creuser au fond de son être, fouiller son âme, libérer son
cœur, vider son esprit.

Puis, dès qu'on cesse de la chercher, de s'agiter en tous sens,
on la découvre.

Elle est là. Juste là.

Et on réalise qu'à son tour, la sagesse nous cherche.

L'AUTRE, C'EST MOI !

Peu importe notre âge, notre sexe, notre profession, notre niveau d'éducation, nos croyances religieuses ou nos affiliations politiques, nous vivons sensiblement les mêmes choses.

Chacun fait l'expérience de la colère, de la trahison,
de la jalousie, de la peur.
Chacun traverse un jour des périodes de pleine confiance
et des moments d'insécurité.
On connaît tous des bonheurs et des peines.
On vit, chacun son tour, des gains et des pertes.
Des succès et des échecs.
Des plaisirs et des douleurs.
Des louanges et des blâmes.

Nous sommes à la fois uniques et semblables.
À la fois multiples et un.
L'autre, ce n'est pas l'autre.
L'autre, c'est moi...
Et, chaque jour, je me rencontre.
Je me rencontre sous mille et un visages.

Namasté à vous

En Inde, il existe une formule de salutation qui, à mon avis, est la plus belle expression de sagesse du monde. Cette salutation se fait les mains jointes devant le cœur, la tête légèrement inclinée sur la poitrine et on salue ainsi l'autre personne en lui disant sincèrement « *namasté* ».

Namasté est formé à partir de deux mots : *namas* et *té*. *Namas* (ou *namah*) signifie « se prosterner avec respect » ou « s'incliner devant ce qui est beau et bon ». *Té* signifie « vous ».

Quand nous saluons une personne en lui disant « *namasté* », nous saluons tout ce qu'elle porte de beau, de bon et de divin en elle. La prochaine fois que vous entendrez cette merveilleuse salutation, entendez : « La divinité en moi salue la divinité en vous. »

Cette façon de saluer une autre personne exprime à quel point nous sommes tous reliés par nos ressemblances et par notre connexion avec l'énergie universelle.

APAISER LES VENTS
DE LA COLÈRE

Dans la Grèce antique, la colère était considérée comme une émotion noble. À l'époque, on s'en servait comme d'une épée qui se dressait contre l'injustice, les abus, la partialité. De nos jours, la colère n'a plus les mêmes lettres de noblesse.

La plupart d'entre nous ne savent que faire quand les vents de la colère déferlent sur leur esprit. À ces moments-là, on a beau savoir qu'il est préférable de se calmer avant de parler ou d'agir, on n'a ni la force ni la clarté d'esprit de s'abstenir. Nous perdons le nord, et nos conditionnements, notre façon de répondre quand nous sommes en colère, les cris, les blâmes, les bouderies, les pleurs, peuvent devenir plus forts que notre volonté.

Que ce soit devant les petits riens du quotidien ou des situations plus graves, la colère est un état pénible à soutenir. Le cerveau est en alerte. Surexcité, un rien peut l'enflammer. Le corps, lui, passe immédiatement en mode protection et vigilance. La mâchoire se serre, la pression artérielle augmente, le pouls et le rythme de la respiration s'accélèrent. Ces réactions modifient notre perception de la réalité. Sous l'effet de la colère, nous ne sommes plus en pleine conscience ni même dans le moment présent. Dans ces circonstances, il y a deux choses importantes que nous pouvons faire sur-le-champ pour apaiser les vents de la colère.

La première : changer de position dans l'espace. Un simple déplacement de notre corps dans la pièce suffit pour distraire momentanément notre cerveau en le forçant à penser à autre chose. Grâce à cette distance entre notre corps et la situation qui nous enflamme, l'excitation du cerveau diminue provisoirement. C'est le moment de reprendre le contrôle sur soi. La seconde chose à faire pour apaiser la colère, c'est de respirer.

Tout comme dans le cas de la peur, respirer permet d'éclaircir la conscience et d'évacuer l'anxiété engendrée par la colère ou la rage. Mais il ne faut pas attendre d'être en situation d'urgence pour en faire l'essai. Faites dès maintenant l'exercice qui suit.

Dirigez votre conscience sous le nombril; et votre souffle dans la profondeur du ventre. Maintenant que vous êtes bien enraciné en vous-même, posez une main sur le cœur et l'autre sur le ventre, puis inspirez par le nez pour un compte de quatre. Retenez votre souffle pour un compte de six. Expirez par le nez pour un compte de huit. Faites cet exercice dix fois.

Sentez-vous le changement? Sentez-vous que cet ancrage est un refuge contre les grands vents? Souvenez-vous que vous portez ce refuge en vous. Et si jamais les vents de la colère menacent de s'élever, revenez à votre centre et en peu de temps vous trouverez un moyen d'envisager la situation clairement et calmement.

« Toute difficulté est venue vous apprendre
une très importante leçon.

Demandez-vous : quelle vérité vient-elle m'enseigner ? »

Jack Kornfield

Transformer l'envie en levier de sagesse

Faut-il être parfait pour être sage ? Absolument pas, répondent les sages de ce monde. La sagesse est un état qui s'exerce. C'est une pratique spirituelle, un cheminement intérieur qui apprend à l'homme comment transformer ce qui le fait souffrir en un état de paix. Pour incarner la sagesse, chacun doit descendre en lui-même afin de découvrir ce qui l'empêche d'être heureux. Prenons l'exemple de la jalousie ou de l'envie.

L'envie est un sentiment naturel et universel qui touche tout le monde, sans exception. Qui n'a pas ressenti une pointe d'envie lui serrer la gorge devant une personne d'une grande beauté, d'une vive intelligence, d'un fort charisme ? Qui n'a pas ressenti un pincement au cœur en croisant un ex-conjoint avec sa nouvelle conquête, en apprenant qu'un collègue a obtenu le poste dont il rêvait ou qu'un ami le délaisse pour passer plus de temps avec quelqu'un d'autre ?

C'est ce qu'on fait avec l'envie qui détermine si l'on en souffrira davantage ou si l'on deviendra plus sage. Une pointe de jalousie peut être transformée en un levier de sagesse si on prend le temps de méditer pour comprendre ce qui se cache derrière ce sentiment. Plutôt que de se concentrer sur les faits, les objets et les apparences extérieures, il faut rentrer en soi-même et approfondir cette réflexion. Quelle est la frustration, quel est le besoin ou le manque qui nous incite à envier les autres ?

Si, par exemple, vous ressentez de la jalousie face au succès d'une autre personne, demandez-vous ce que cette envie est venue vous apprendre sur vous-même, sur votre façon de voir la vie. Que réveille-t-elle en vous ? Quelles aptitudes dorment en vous ? Quel talent n'avez-vous pas encore découvert ? Quelle qualité personnelle n'avez-vous pas encore osé exprimer ? Quelle compétence pourriez-vous cultiver davantage ?

La sagesse, c'est apprendre à se connaître davantage pour mieux se comprendre. La sagesse, c'est s'observer avec bienveillance, c'est aussi apprendre à se connaître davantage pour mieux se comprendre. S'exercer à la sagesse, c'est entreprendre une véritable ascèse spirituelle qui mène à un état de paix intérieure profond et durable.

La vie n'est pas
un créancier

On dit que la vie nous offre exactement ce dont nous avons besoin, au moment où nous en avons besoin. Mais parce que nous sommes d'éternels insatiables, nous espérons toujours quelque chose de plus ou de mieux. Et, personnellement, je ne suis pas une exception.

Pendant de nombreuses années, j'ai négocié avec la vie pour obtenir un traitement spécial, pour ne pas avoir peur ou ne pas avoir mal. J'ai tenté cette tactique de marchandage lorsque ma santé s'est mise à défaillir. À l'époque, je travaillais comme pigiste et ma situation financière était telle que je ne pouvais pas me permettre de perdre la moindre journée de travail. Alors, je négociais avec la vie. Je négociais pour avoir plus d'énergie afin d'accepter de nouveaux contrats et de les terminer plus rapidement pour gagner un peu plus d'argent. En échange, je promettais d'allonger mes vacances ou de me reposer davantage une fois le projet terminé. Je négociais aussi pour éprouver moins de douleurs physiques, pour avoir plus de nuits sans insomnie, pour mieux digérer et être moins fatiguée, etc.

Je marchandais ainsi ma vie du matin au soir. Et quand les résultats n'étaient pas ceux escomptés, quand la fatigue se faisait sentir ou que la peur augmentait, je retournais à la table des négociations. «Si j'arrête de faire ceci, pourrais-je continuer de faire cela? Si j'agis de telle façon, feras-tu en sorte que tout aille mieux pour moi ? » Au bout de trois ans, après avoir épuisé toutes mes ressources à négocier, je me suis retrouvée vraiment épuisée et à bout de souffle. Et en cet instant douloureux, que nous croyions ou non à la notion de karma selon laquelle nous serions responsables des conséquences de chacune de nos actions, j'ai compris que la vie n'est pas un créancier.

Cela dit, même si certaines de nos leçons sont difficiles, il ne faut jamais faire l'erreur de négocier pour une existence sans ces expériences. Chaque expérience, bonne ou mauvaise, a sa raison d'être. Mais, très souvent, cette raison d'être ne nous sera révélée que des années plus tard. En ce qui me concerne, j'ai aujourd'hui la certitude que la maladie a été mise sur mon chemin pour que je réinvente mon regard sur la vie.

« Si je disais "pourquoi moi ?" devant les malheurs de la vie,
alors j'aurais dû dire "pourquoi moi ?"
devant tous les bonheurs que j'ai eus. »

Arthur Ashe

QUI SAIT ?

Un vieux fermier avait trois fils. Pour cet homme, sa ferme était sa grande fierté. C'était l'une des plus riches et des plus convoitées de la région. L'aîné de la famille avait un talent naturel pour rendre la terre fertile, et chaque jour, il allait aux champs pour aider son vieux père. Mais un jour, il se blessa avec un outil et le jeune homme dut arrêter de travailler. En apprenant la nouvelle, des voisins accoururent : « Vous devez être désespéré de perdre un collaborateur si précieux, dirent-ils au vieil homme. Qu'allez-vous faire, maintenant ? » Le sage fermier répondit simplement : « Bonne ou mauvaise nouvelle… qui sait ? » Perplexes et confus, les voisins retournèrent aux champs.

Le lendemain, le deuxième fils se blessa à un pied. Des villageois vinrent voir le fermier et lui dirent : « On dirait que le malheur s'abat sur vous ! Vos deux fils sont blessés. Qu'adviendra-t-il maintenant de votre ferme ? » Calmement, le fermier répondit : « Bonne ou mauvaise nouvelle… Qui sait ? » Convaincus que le fermier était devenu fou, les villageois retournèrent chez eux.

Quelques jours après, le cadet de la famille se rendit aux champs pour aider son père. En manipulant un outil, il se blessa à la main. N'en croyant pas leurs oreilles, les villageois et les voisins vinrent en grand nombre prendre des nouvelles du vieux fermier. Mais, une fois de plus, ce dernier leur répéta : « Bonne ou mauvaise nouvelle… Qui sait ? »

Et puis, ce jour-là, en rentrant au village, tout le monde eut un choc : pendant leur absence, des militaires avaient collé sur les poteaux de grandes affiches annonçant que tous les jeunes hommes en bonne santé étaient mobilisés. Le lendemain, ils partiraient tous à la guerre.

La prochaine fois qu'une situation déraillera ou que les choses ne se produiront pas comme vous l'aviez prévu, respirez et rappelez-vous la sagesse du vieux fermier en vous demandant : « Bonne nouvelle, mauvaise nouvelle… Qui sait ? »

De « pourquoi »
à « comment »

En 1996, lorsque j'ai reçu le diagnostic de l'hépatite C, je suis tombée à genoux et j'ai demandé : « Pourquoi ? Pourquoi une telle maladie ? Pourquoi moi ? Qu'ai-je fait pour mériter ça ? Pourquoi maintenant ? Pourquoi la vie est-elle si injuste ? Pourquoi en est-il ainsi ? »

En vérité, aucune réponse à mes questions n'aurait réussi à me satisfaire, mais j'ai persisté à demander et à chercher. Deux ou trois mois plus tard, cette quête infernale de « pourquoi ceci » ou « pourquoi cela » me taraudait toujours, me gardant angoissée le jour et réveillée la nuit. La majeure partie de cette angoisse provenait du fait que je cherchais des réponses à l'extérieur de moi.

Mais, un jour, la révélation eut lieu ! Alors que je me posais une fois de plus l'éternelle question — « Pourquoi ? » —, j'ai reçu cette réponse en méditant : « Ne demande pas pourquoi. Demande plutôt comment. » Comment ? Comment puis-je traverser cette épreuve ? Comment puis-je aider mon corps à combattre cette maladie ? Comment puis-je mieux prendre soin de lui ? Comment puis-je trouver les personnes-ressources qui me guideront vers la santé ?

À ma grande surprise, avec chaque « comment » je me sentais plus droite et plus forte. Je n'étais plus victime de mes « pourquoi ». J'affrontais mes angoisses et mes peurs. Et, avec chaque «comment», je reprenais mon pouvoir. Pour moi, «comment» fut la question-clé qui m'a ouvert des portes. J'ai trouvé des pistes de solutions et des réponses. Dans mon cas, chaque «comment» était un pas vers la liberté et la guérison.

La réalité n'est pas toujours rose, mais devant l'adversité, essayez de changer vos «pourquoi» en «comment». Un simple changement de mot peut vous rendre plus fort et ouvrir une perspective sur une foule de possibilités. C'est ainsi qu'une épreuve se transforme en une expérience de vie.

POUR LE MOMENT, C'EST AINSI...

Bien qu'on nous enseigne à persévérer et à tout mettre en œuvre pour que les choses se déroulent selon nos prévisions, la vérité est que nous ne contrôlons pas l'univers. Au-delà de nos efforts, il y aura toujours des situations qui nous surprendront, nous déstabiliseront et même nous défieront.

C'est précisément dans ces moments-là qu'il faut trouver un moyen d'accepter la réalité, tout en conservant l'espoir de jours meilleurs. Pour y parvenir, je me dis : « Pour le moment, c'est ainsi... »

Quand les choses ne vont pas comme je le souhaiterais, que je n'obtiens pas les résultats que j'espérais, je lâche prise en disant : « Pour le moment, c'est ainsi. »

Quand mon corps a mal, qu'une situation me dépasse, que je n'arrive pas à trouver la solution à un problème, je respire calmement en sachant que si « pour le moment, c'est ainsi », demain ou après-demain sera peut-être mieux.

Cette petite phrase emplie d'une grande sagesse empêche mon cerveau de compliquer les choses ou d'exagérer la situation. Elle me rappelle que tout passe et qu'éventuellement les choses iront bien. « Pour le moment, c'est ainsi », pour moi, c'est la clé du trousseau qui ouvre la porte au lâcher-prise.

La prochaine fois que vous subirez un changement ou une situation déstabilisante, centrez-vous en vous-même et, tout en respirant doucement, acceptez que, pour le moment, il en soit ainsi.

ON NE PEUT SE FUIR

J'ai vécu une grande partie de ma vie en disant : « Si ça ne fait pas ici, ça fera ailleurs. » Je pensais : « Si je ne suis pas bien dans cet appartement, je vais déménager » ; ou : « Si je ne suis pas heureuse dans cet emploi ou dans cette relation, je vais en changer... »

Un jour où je m'apitoyais sur mon sort et que, une fois de plus je devais déménager et me trouver un emploi, j'ai dû faire face à la réalité : où tu vas, tu es. J'aurais pu passer ma vie à faire mes bagages, à déménager d'appartement en appartement et à fuir au bout de la terre, j'aurais pu m'investir dans une autre carrière ou dans une aventure amoureuse, il reste que les mêmes pensées m'auraient suivie et torturée partout, ici ou ailleurs. Partout où j'irais, je ne pourrais me fuir. Où que j'aille, c'est moi que je rencontrerai.

Le choc de cette vérité m'a renversée ! Si je souhaitais changer de vie, je devais commencer par changer mon état d'esprit. Débuta alors une longue période de petits et de grands changements. Mes défauts allaient me servir comme points de départ pour améliorer mon caractère. Mes erreurs de parcours, à leur tour, devenaient mes meilleurs professeurs. Lentement, mes faiblesses allaient devenir, avec le temps, des forces. Et mes limites, je le savais, pouvaient être transmutées en de nouvelles capacités.

Quand il m'arrivait de perdre espoir, que je doutais de mes avancées ou que j'essuyais des défaites, je n'avais qu'à me rappeler que j'étais en route vers une nouvelle version de moi.

Où tu vas, tu es. Servez-vous de cet enseignement pour vous rappeler que c'est en agissant d'abord sur votre état d'esprit que vous pouvez arriver à vous réinventer et à changer votre vie.

« Si l'on peut remédier au problème,
alors il n'y a pas lieu de s'en inquiéter.

Et s'il n'y a pas de solution, il ne sert à rien d'être inquiet,
puisque, de toute façon, on ne peut rien y changer. »

Le dalaï-lama

Brin de sagesse

Sur ma route, j'ai eu la chance de croiser des êtres dotés d'une grande sagesse. Par « sagesse », j'entends des personnes qui portent en elles un infini calme intérieur, une inébranlable sérénité et une joie simple de vivre. Et ces qualités semblent les habiter en tout temps et en tout lieu.

La première chose qui m'a étonnée à la rencontre de ces personnes, c'est qu'au premier coup d'œil rien ne sépare, en apparence, ces « sages » des individus ordinaires. La plupart d'entre eux ne portent ni longue robe, ni barbe blanche, ni turban. Et pourtant, lorsqu'on s'approche de ces êtres, on ressent quelque chose de très différent. De leur présence se dégage une harmonieuse combinaison de douceur et de force intérieure.

La seconde chose qui frappe l'esprit, c'est que ces personnes ont les deux pieds solidement plantés sur terre. Leur simplicité d'être est le fruit d'un long travail de réflexion, de contemplation et d'une véritable connaissance de soi. Leur authenticité se manifeste dans une parfaite harmonisation de la pensée, de l'intention, de la parole et du geste. Ces personnes vivent en pleine conscience et en toute cohérence à partir de leur essence la plus profonde.

Peu importe leurs croyances religieuses ou leur absence de croyances, ces maîtres affirment que vous et moi pouvons parvenir à ce même état de sagesse. À ce sujet, ils enseignent tous à peu près la même voie à suivre pour y parvenir : observez votre esprit ; ne vous identifiez pas à vos pensées, mais observez-les calmement, sans les juger ; développez chaque jour, le mieux possible, plus d'attention, d'observation, de concentration et de compassion. Et le point de départ pour atteindre la sagesse, disent-ils, c'est, encore et toujours, le moment présent.

Savoir que chacun porte en lui un brin de sagesse prêt à croître, c'est l'étincelle nécessaire pour attiser notre volonté de persévérer sur le chemin de la transformation.

LES BIENFAITS
DE NOUS ARRÊTER

Connaissez-vous l'histoire de l'homme qui traversait son pays à vive allure sur son cheval? Partout où il passait, les gens disaient qu'il filait vers un endroit des plus importants. Un jour, un homme lui cria du bord de la route: «Où cours-tu ainsi?» Et le cavalier lui répondit: «Je ne sais pas, demande au cheval.»

Cet homme nous représente. Le cheval, c'est notre façon de vivre en courant, à gauche et à droite, dans tous les sens, sans pouvoir nous arrêter. Mais, de nos jours, alors que le monde va si vite, comment peut-on se libérer de cet état d'urgence?

Le maître zen Thich Nhat Hanh, qui enseigne la méditation, nous dit qu'il faut d'abord admettre que nous courons toute la journée. Sans cette pleine conscience, nous ne pourrons rien changer. Nous devons ensuite nous demander pourquoi nous refusons de nous reposer.

Certes, on peut blâmer le trop-plein de responsabilités, la vitesse de la société, les soucis, les autres et le manque de temps, mais il faut prendre le temps de se poser ces questions. Même quand nous sommes en congé, ou en vacances à la mer ou à la montagne, nous avons peur de ralentir. Pourquoi? Qu'est-ce qui nous pousse à courir comme si notre vie était un marathon?

Par la suite, il faut être conscient qu'il y a un temps pour chaque chose. Un temps pour travailler. Un temps pour s'amuser. Un temps pour se reposer. Un temps pour rêver. Un temps pour passer à l'action. Et, un temps pour vivre. Simplement vivre.

Vivre, il ne faut surtout pas l'oublier, c'est aussi notre « travail ». Et, celui-là, personne ne peut le faire à notre place.

DÉTENDRE LE CORPS, REPOSER L'ESPRIT

Maintenant, par exemple, on pourrait juste se détendre intérieurement, tout en respirant calmement, et savourer lentement le moment présent. Voici comment.

Dans un lieu calme, préférablement silencieux et faiblement éclairé, étendez-vous sur le dos. Laissez les jambes et les bras se détendre, les orteils pointant vers l'extérieur et les paumes tournées vers le plafond. Respirez naturellement, à votre propre rythme. Pour vous aider à vous détendre, vous pouvez visualiser une lumière blanche de protection autour de vous. Vous pouvez la diriger à volonté dans des régions du corps qui ont mal ou vous en servir pour apaiser des émotions fortes comme la colère, la peur ou le chagrin. À l'aide de chacune de vos respirations, ouvrez-vous avec confiance.

Maintenant, servez-vous de votre conscience pour balayer diverses parties de votre corps. Telle une lampe de poche, dirigez votre conscience sur votre pied droit, le talon, la cambrure du pied, les orteils, la cheville, le mollet, le genou, la cuisse et la hanche. Faites de même pour la jambe gauche. Ensuite, concentrez-vous sur votre main droite, sur le pouce, les autres doigts, la paume et le poignet. Montez lentement le long de l'avant-bras, puis détendez le coude et l'épaule. Faites-en autant pour le bras gauche.

Dirigez maintenant la lumière de votre conscience à la base de la colonne vertébrale et sur les muscles du dos, en montant de chaque côté de la colonne, jusqu'au cou.

« Je n'ai pas ce que je veux ! »

« Je ne veux pas ce que j'ai ! »

« Je n'en ai pas assez ! »

« Je veux ceci, je veux cela ! »

Chaque fois que je lâche prise sur ce que « je veux »,
étrangement, je n'ai plus besoin de rien !

LE RÉEL CONTENTEMENT

Nous croyons à tort que notre vie est indépendante de notre volonté. Lorsqu'on vit avec une telle croyance, à la première difficulté on baisse les bras. Quelle que soit notre situation actuelle, que nous vivions avec la maladie, un handicap, des douleurs chroniques ou une dépendance, nous pouvons agir profondément sur notre perception de la réalité. Ici, je ne dis pas de porter des lunettes roses pour jouer la carte de l'indifférence, mais de se donner la chance de percevoir la vie sous un autre angle.

Contrairement à ce que l'on croit, se «contenter» ne signifie pas qu'il faille accepter la pauvreté et le manque. Il s'agit plutôt d'accueillir la vie telle qu'elle se présente à soi. Car à défaut de pouvoir changer la réalité, nous avons la possibilité de changer notre vision des choses.

En dépit des circonstances extérieures — inquiétude financière, projets retardés, soucis de santé, conflits personnels —, le contentement donne la force pour prendre action afin de traverser les obstacles du quotidien, pour vivre la vie à laquelle on aspire. Le contentement focalise notre attention sur les bonnes choses de la vie et lorsque nous délaissons la négativité, nous découvrons des réponses à nos questions, des solutions à nos problèmes. Avec la gratitude et un esprit ouvert, vous pouvez redessiner votre monde.

Exercice

AIMERIEZ-VOUS VOUS SENTIR RICHE ET HEUREUX ?

Voici cinq étapes pour y parvenir dès maintenant :

1. Contemplez tout le chemin que vous avez parcouru jusqu'à aujourd'hui.

2. Revoyez les efforts que vous avez déployés et les obstacles que vous avez réussi à surmonter.

3. Appréciez sincèrement et sans condition qui vous êtes, c'est un point très important.

4. Comptabilisez tout ce que vous possédez et que l'argent ne peut acheter.

5. Prenez conscience que vous avez déjà tout ce dont vous avez besoin.

Un petit congé improvisé

Un jour, j'ai entendu un riche homme d'affaires, âgé et respecté, dire que le secret de sa longévité, de son énergie et de sa prospérité, tenait au fait qu'il s'accordait régulièrement des jours de repos. Au début d'une nouvelle année, disait-il, avant même d'inscrire ses engagements professionnels dans son agenda, il inscrivait un X sur dix journées choisies au hasard. En plus de ses vacances annuelles et des jours fériés, il s'octroyait ainsi spontanément dix autres jours de congé pour profiter de la vie.

Si, pour la majorité d'entre nous, il n'est peut-être pas possible de prendre tant de jours de congé, tout le monde peut s'accorder cinq à dix minutes par jour. La durée de la pause n'a pas autant d'importance que la qualité de notre présence à ce moment-là. Il suffit de se servir de ces instants de répit pour prendre soin de soi et mettre de côté ses soucis. Si la sagesse est un art de vivre, c'est parce que le repos en fait partie.

Alors, où que vous soyez, maintenant, demain ou dès que possible, au cœur de vos activités, au cœur de votre journée, donnez-vous la permission de vous arrêter un moment pour vous ressourcer intérieurement.

Exercice

RESSOURCEMENT INTÉRIEUR

Un matin bien ordinaire, j'ai pris conscience que s'il y avait une pénurie d'énergie dans mon corps et dans mon esprit, l'abondance ne pourrait plus circuler dans ma vie. Je me suis alors mise à pratiquer un exercice pour me donner une sensation d'expansion et d'ouverture. Le voici :

Adoptez une posture qui permet au souffle de circuler librement dans votre corps.

Gardez la colonne vertébrale droite et les épaules basses.

Imaginez-vous que votre cœur est ouvert et déployé comme les ailes de l'aigle.

Fermez les yeux et concentrez-vous sur le souffle pendant quelques secondes.

À présent, rappelez-vous un moment où vous vous sentiez libre et heureux dans votre vie.

Un moment où vous aviez mis de côté vos peurs, vos attentes et vos préférences.

Vous étiez libéré des notions d'échec ou de succès.

En respirant profondément, faites rejaillir cette formidable énergie de vie dans toutes vos cellules.

Laissez votre respiration diffuser ce sentiment de satisfaction dans toutes les couches de votre corps.

Maintenant, servez-vous de cet état de gratitude pour apprécier votre « maintenant ».

Peu importe ce qui se passe en ce moment, appréciez le fait de respirer, de voir, d'entendre, de toucher, de ressentir ce qui vous entoure ; appréciez les gens qui vous aiment et vous soutiennent ; appréciez qui vous êtes et ce que vous faites.

Réussir sa vie, c'est réussir à apprécier pleinement sa vie.

Votre bonheur, aujourd'hui, est au cœur de cette source de gratitude.

Prenez soin de répéter cet exercice au besoin.

Vivre le cœur
grand ouvert

Parce qu'il y a tant de choses à faire, nous avons tendance à remettre à plus tard nos moments de ressourcement. Pourtant, il y a dans chacune de nos journées vingt-quatre nouvelles heures qui nous sont données pour prendre conscience de la beauté et de la richesse qui nous entourent. Il existe des méthodes simples pour les découvrir. Chacune recèle un trésor infini pour ouvrir notre cœur à chaque moment de notre vie :

Apprenez à préparer des mets composés d'aliments frais, colorés et variés.

Formulez silencieusement un « merci » avant votre repas.

Développez une plus grande attention à ce que vous pensez quand vous êtes seul et quand vous êtes avec quelqu'un ; prêtez attention à ce que vous dites et à ce que vous faites.

Changez d'itinéraire pour vous rendre au travail ou à un rendez-vous habituel afin de découvrir d'autres paysages, d'autres horizons.

Prenez une profonde respiration emplie de compassion quand vous entendez la sirène d'un véhicule d'urgence et pensez avec bienveillance à ces personnes dans le besoin.

Clarifiez votre intention de rester dans le moment présent quand l'ennui ou la fatigue vous guette.

Ayez l'esprit ouvert avant de vous rendre à un rendez-vous ou à une réunion.

Dites une prière pour quelqu'un qui vit des moments difficiles avant de vous endormir.

Renouvelez tous les matins l'intention de vivre votre journée avec les yeux, l'esprit et le cœur grand ouverts.

Enfin, découvrez d'autres occasions d'être plus présent à vous-même. Plus attentif aux autres. Plus conscient de chaque instant de votre vie.

QUE LA VIE ME SOIT DOUCE

Il y a une quinzaine d'années, alors que je souffrais physiquement et que je me critiquais sévèrement pour je ne sais plus quelle raison, soudain une phrase est montée à mes lèvres : « Que la vie me soit douce. » En plus d'avoir un effet salutaire sur ma détresse du moment, ces mots ont déclenché une véritable révolution dans ma vie. Sans cette phrase, je ne serais jamais parvenue à me réinventer ni à franchir les étapes nécessaires pour y arriver. Depuis, cette phrase est devenue ma prière quotidienne et je l'ajoute au début d'une méditation bouddhiste.

Pour certains, l'idée que la compassion puisse être dirigée vers soi les fait se sentir mal à l'aise. On a peur de devenir égoïste, centré sur soi. Mais repensez un instant à une expérience douloureuse du passé et demandez-vous si la douleur, le chagrin et l'angoisse de ce moment-là seraient plus faciles à supporter avec ou sans compassion.

Être capable de compassion, c'est avoir le courage, l'humilité et la bonté de se considérer comme les autres et c'est accepter le fait que nous méritons la même bienveillance que nous accordons si généreusement aux autres.

Si vous voulez, prenez quelques instants pour poser les deux mains sur votre cœur. Respirez profondément.

D'une voix bienveillante, répétez silencieusement ou à voix haute les phrases qui suivent :

Que la vie me soit douce.

Que je sois libre de toute douleur physique.

Que je sois libre de toute souffrance morale.

Que je sois en pleine santé et en sécurité.

Que je sois bien dans mon corps.

Et en paix dans mon esprit.

Cette méditation peut devenir un phare, une lumière vers laquelle vous vous tournerez quand vous aurez besoin de douceur et de force intérieure au quotidien. Combinée à la pratique de la gratitude, la compassion vous aidera à faire croître en vous l'estime et la confiance dont vous avez besoin pour poursuivre votre chemin.

DONNER ET RECEVOIR

Pour que cette énergie circule librement dans nos vies, il lui faut deux pôles d'attraction : donner et recevoir, car dans l'univers, tout s'opère par échange d'énergie.

Donner engendre recevoir.

Recevoir engendre donner.

Si l'on donne sans savoir recevoir, l'énergie nous fuit.

Si l'on garde tout sans savoir donner, l'énergie se bloque.

De part et d'autre, l'équilibre est brisé.

Si l'on donne de soi aux autres, il faut aussi savoir recevoir d'eux. Et, quand on reçoit, il faut aussi apprendre à redonner.

La prochaine fois que vous vous sentirez en panne d'énergie, rappelez-vous que le moment est peut-être venu d'ajuster l'équilibre dans votre vie entre recevoir et donner.

L'attention bienveillante
peut transformer un moment ordinaire
en un petit miracle de vie.

PAIX

CULTIVER LA PAIX

Quand notre esprit est agité, perturbé, angoissé,
quand tout va trop vite dans notre tête
et que nous manquons d'air et d'espace,
le contact avec la nature peut nous apaiser.

Mais, si cela n'est pas possible, j'ai découvert un autre moyen :
je me place près d'une fenêtre ou d'une porte vitrée, et, de là,
je lève les yeux au ciel en respirant doucement.

À la vue de ce vaste espace,
mon esprit s'ouvre et mes pensées s'envolent.
Mon corps relâche ses tensions.

En demeurant en lien avec cette vaste énergie,
peu à peu, on arrive à développer la paix.

La paix avec ce qui a été.
La paix avec ce qui est.
La paix avec ce qui sera.

Une lueur dans l'obscurité

Dans l'une de ses merveilleuses chansons, *Anthem*, Leonard Cohen dit à peu près ceci : « Oubliez vos offrandes parfaites. Il y a une fissure en toute chose. C'est ainsi qu'entre la lumière. » Cette phrase m'a fait comprendre pleinement qu'à l'intérieur de chaque difficulté se trouve une lueur d'espoir.

Face à la maladie grave d'un enfant, à la dépendance d'un conjoint, au suicide d'une personne aimée, tout s'assombrit. Au milieu de tels bouleversements, la vie, telle qu'on l'a connue, telle qu'on l'a aimée, soudainement prend fin. Mais une chose résiste, une chose ne change pas : c'est la lumière qu'on porte en soi. Comment la retrouver dans toute cette obscurité ?

Depuis le début des temps, il existe des rituels spirituels qui nous apprennent à découvrir une paix à l'intérieur de soi. Je ne dis pas que toute spiritualité débute dans la douleur, je dis simplement que d'innombrables démarches spirituelles, la mienne comme celle de milliers d'êtres humains, ont pris naissance dans des moments difficiles.

« Spirituel » ne signifie pas ici « religieux » ; c'est un appel à découvrir en soi quelque chose de sacré. Et la voie d'accès la plus fréquente au sacré se cache souvent dans la souffrance. Pour ma part et pour nombre de personnes que je connais, c'est dans la grande noirceur qu'on a découvert au fond de soi une toute petite flamme qui, dans l'obscurité, était restée allumée. Pour la déceler, il suffit de choisir une pratique qui nous ressemble et qui nous convient. Il peut s'agir d'un moment de contemplation dans la nature, d'une méditation sur le souffle, d'un chant ou d'une danse, de la récitation sincère d'une prière ou de toute autre forme de rituel pour guérir le cœur de ses blessures.

La patience, l'amour et la compassion possèdent un réel pouvoir de transformation sur notre esprit et sur notre vie. Un jour, comme un trésor enfoui dans le sable, on découvre une lueur au fond de soi. Cette partie de notre être, que certains appellent notre essence divine, n'a pas été altérée par les difficultés de notre existence. Et l'on se rend compte qu'elle ne s'éteint jamais. Cette flamme est immuable, et cette lumière est éternelle. C'est là le très beau cadeau qui nous est confié.

« Ce qui est derrière nous et ce qui est devant nous
ne sont que peu de choses comparativement à
ce qui est au-dedans de nous. »

Oliver Wendell Holmes

La pratique
que j'avais oubliée

À 45 ans, des circonstances difficiles m'ont forcée à m'incliner une fois de plus devant la vie. À cette époque, je venais de faire l'essai d'un nouveau médicament contre l'hépatite C, mais ce traitement fut un cuisant échec. Les séquelles physiques, la souffrance et le désespoir qui ont suivi m'ont secouée au plus profond de moi. J'avais besoin d'aide pour me relever. Ne sachant plus vers qui ni vers quoi me tourner, j'ai renoué avec une pratique oubliée depuis longtemps : la prière. J'ai recommencé à prier et, contre toute attente, j'ai trouvé dans la prière l'appui dont j'avais besoin pour me relever. Depuis lors, je prie.

Je ne demande rien dans mes prières. Rien d'autre que le courage de vivre ce qu'il m'est donné de vivre et la sagesse de comprendre ce que j'ai à en apprendre. C'est ma seule et unique requête. Je ne récite pas les oraisons de mon enfance et je ne prie ni à genoux ni les mains jointes. Je prie en respirant. En méditant. En marchant. En dansant. En mangeant. Je prie couchée. Je prie debout. Je prie en silence et je prie en chantant à tue-tête. Je prie n'importe quand, n'importe où. Autrement dit, je prie comme je vis.

Souvent, il m'arrive de prier dans la nature ou au beau milieu de la nuit. À ces moments-là, je sens une « présence » à la fois discrète et puissante autour de moi. Une présence qui m'entend, qui m'écoute. Cette énergie, parfois je la perçois comme une main qui se tend vers moi. Parfois elle m'apparaît comme une porte qui s'ouvre devant moi. Ou comme un grand vent de liberté qui se déploie.

Il y a des jours où je prie silencieusement. Il y a des jours où je compose mes propres prières à l'univers. Peu importe ce qui se passe dans ma journée, le soir venu, dans chacun de mes souffles, je glisse un « merci » à la vie. Voilà comment je prie.

Prière à l'univers

Ralentis le rythme effréné de mes pensées,
apaise les battements de mon cœur,
pour que je puisse mieux t'écouter.

Ralentis mes pas.
Rappelle-moi de prendre un moment dans ma journée,
pour méditer, pour respirer.

Le soir venu, éteins le feu des désirs qui brûle en moi,
les charbons de l'impatience qui consument mon corps
et mon âme.
Libère mon cœur des regrets et des attentes.

Apprends-moi le calme des montagnes.
Enseigne-moi la tranquillité des Grands Lacs,
la sérénité de l'océan,
la légèreté des fleurs de printemps.

Aide-moi à vivre simplement,
à demeurer immobile plus longtemps,
à conserver des moments de silence,
pour que je puisse mieux t'entendre.

Enseigne-moi ta patience, ta tolérance, ta bienveillance.
Montre-moi comment apaiser ma douleur et mes peurs.
Et, à mon dernier souffle, tiens ma main.

ÉTERNELLE IMPERMANENCE

Quand j'ai commencé à vouloir me réinventer, j'avais peur que jamais rien ne change dans ma vie. Au début, jamais je n'aurais cru guérir de l'hépatite C, ni rencontrer le grand amour, ni enseigner la méditation, ni même écrire des livres. À bien des égards, je réalise aujourd'hui que l'ultime leçon que j'ai apprise jusqu'ici, c'est que tout est appelé à changer. Cette leçon, qu'on appelle l'impermanence, m'a transformée, et c'est elle qui m'aide, encore aujourd'hui, à vouloir continuellement me redéfinir.

L'impermanence touche tout ce qui existe, continuellement et en toute chose. Les montagnes, les océans, le monde dans lequel nous vivons, tout est en changement. Mon âge, mon corps, les personnes et les choses que j'aime, rien n'est figé dans le temps. Les années passent, les saisons se succèdent, les enfants grandissent, nos visages vieillissent ; nos pensées et nos certitudes, elles aussi, changent.

Au départ, cette fragilité de l'existence m'angoissait littéralement. Je n'arrivais pas à comprendre comment faire la paix avec le fait qu'un jour, en raison de ce perpétuel changement, tout ce que j'aimais se transformerait, ou me serait enlevé. Mais j'ai appris avec le temps qu'il y a un aspect plus subtil et plus profond à tirer de cet enseignement.

Lorsqu'il faut endurer une situation difficile ou que nous sommes séparés de ceux qu'on aime, l'impermanence nous assure que nos angoisses, nos épreuves et nos expériences douloureuses, elles aussi, auront une fin. Nos succès, nos plaisirs et nos joies ne dureront pas éternellement non plus, et voilà une bonne raison de les vivre encore plus intensément. Ainsi, lorsque nous sommes en santé, entourés de ceux que nous aimons, que nous vivons de petites ou de grandes joies, il nous faut être pleinement présents pour profiter doublement de ces moments éphémères de la vie.

L'éternité, comme disent les sages, se vit dans l'instant présent. Vous, qui tenez ce livre, prenez conscience que votre vie est un immense cadeau. Chaque jour, elle s'ouvre pleinement à vous. Chaque jour, pour vous, elle se renouvelle. Profitez pleinement de chaque instant de votre existence. Et en tout chose soyez présent, heureux et en paix.

Avec un cœur ouvert, une respiration consciente et
une pensée de compassion, on peut naviguer librement
sur toutes les vagues de l'existence.

L'ART DE SE RÉINVENTER

Lorsque j'ai commencé à écrire ce livre, je ne savais pas à quel point il me changerait. Le fait de partager avec vous mon parcours de transformation, d'écrire et de réécrire tous ces enseignements de vie qui m'ont aidée à me réinventer, m'a à nouveau transformée intérieurement. Je ne suis plus la même personne qui a imaginé ce livre. Aujourd'hui, au moment de mettre fin à cette aventure, je me rends compte que se réinventer, c'est à la fois :

PLONGER à l'intérieur de soi pour y découvrir un vaste champ de possibilités ;

SORTIR des rangs pour suivre notre instinct ;

DÉCOUVRIR les talents qui nous été donnés et les laisser s'épanouir ;

APPRENDRE de nos erreurs pour devenir meilleurs ;

TRANSFORMER la peur en un tremplin vers la liberté intérieure ;

NOURRIR nos rêves tout en vivant pleinement notre vie, ici et maintenant ;

S'OUVRIR à une perspective plus vaste d'un monde qui ne cesse de se renouveler ;

DÉVELOPPER notre plein potentiel humain.

Si vous choisissez de vous réinventer, chaque jour de votre vie sera une journée neuve !

« Il vaut mieux mourir usé que rouillé. »

(Mon proverbe tibétain préféré !)

Ouvrages cités

Paolo Coelho, *Le Zahir*, Flammarion, 2009.

Rick Hanson, *Le Cerveau de Bouddha*, Les Arènes, 2011.

Giacomo Leopardi, *Zibaldone*, Allia, 2003.

Daniel Odier, *Les Portes de la joie*, Pocket, 2014.

Osho, *Le Courage*, Jouvence, 2003.

Matthieu Ricard, *L'Art de la méditation*, Nil, 2008.

Shunryu Suzuki, *Libre de soi, libre de tout*, Seuil, 2011.

Henry David Thoreau, *Walden ou La vie dans les bois*, Gallimard, 1990.

Eckhart Tolle, *Le Pouvoir du moment présent*, Ariane, 2000.

Alan Watts, *Éloge de l'insécurité*, Petite bibliothèque Payot, 2015.

Autres auteurs cités

Arthur Ashe

Ajahn Chah

Thich Nhat Hanh

Oliver Wendell Holmes

Carl Jung

Jon Kabat-Zinn

Jack Kornfield

Rabindranath Tagore

REMERCIEMENTS

L'Art de se réinventer n'aurait pu voir le jour sans l'appui de nombreuses personnes à qui il me tient vraiment à cœur de dire merci.

Un immense merci à mes professeurs et aux maîtres spirituels qui, par leur présence ou leurs écrits, m'accompagnent au jour le jour. Ils sont trop nombreux pour être tous nommés, mais je leur dois beaucoup.

À Hélène, à ma famille, à mes amis, merci ! Grâce à votre amour inconditionnel et constant, je trouve chaque jour le courage de me réinventer.

Un merci du fond de mon cœur à mon éditrice-complice-amie, Pascale Mongeon, qui m'a offert un soutien inconditionnel pour que ce troisième livre voie le jour.

Merci à tous les membres de la merveilleuse équipe des Éditions de l'Homme. Un merci tout particulier à Christine et Diane. Merci à Sylvain Trudel pour ses conseils éclairés.

Un merci sincère à Julien Faugère, à Bruno Rhéaume et Stéphane W pour la magnifique photo de la jaquette de mon livre.

Au Dr Marc Poliquin, à Marie-Claude Roy et au Dr Réjean Thomas de la Clinique L'Actuel, je dois le plus GRAND des mercis.

Enfin, toute ma gratitude va aussi à vous, chère lectrice et cher lecteur, qui me faites le « b-honneur » de me lire.

Je dédie ce livre à la mémoire de mon père.

TABLE DES MATIÈRES

SUIVEZ-NOUS SUR LE WEB

Consultez nos sites Internet et inscrivez-vous à l'infolettre
pour rester informé en tout temps de nos publications
et de nos concours en ligne. Et croisez aussi
vos auteurs préférés et notre équipe sur nos blogues!

EDITIONS-HOMME.COM
EDITIONS-JOUR.COM
EDITIONS-PETITHOMME.COM
EDITIONS-LAGRIFFE.COM